하이탑 초등 과학 4학년

정답과 해설

1학기
1. 과학자처럼 탐구해 볼까요? ⋯⋯⋯ 2쪽
2. 지층과 화석 ⋯⋯⋯ 4쪽
3. 식물의 한살이 ⋯⋯⋯ 10쪽
4. 물체의 무게 ⋯⋯⋯ 16쪽
5. 혼합물의 분리 ⋯⋯⋯ 20쪽

2학기
1. 식물의 생활 ⋯⋯⋯ 26쪽
2. 물의 상태 변화 ⋯⋯⋯ 32쪽
3. 그림자와 거울 ⋯⋯⋯ 38쪽
4. 화산과 지진 ⋯⋯⋯ 44쪽
5. 물의 여행 ⋯⋯⋯ 49쪽

1 과학자처럼 탐구해 볼까요?

1 과학 탐구하기

탐구 문제   12쪽

1 (1) ○   **2** 8.5

1 식용 구연산의 양이 1 g일 때 발생하는 탄산수 거품의 최고 높이는 7 cm, 2 g일 때 8 cm, 3 g일 때 9 cm입니다. 이것으로 보아 식용 구연산의 양을 1 g씩 늘릴 때마다 탄산수 거품의 최고 높이가 1 cm씩 높아지는 것을 알 수 있습니다.

2 식용 구연산의 양이 3 g일 때 발생하는 탄산수 거품의 최고 높이는 8 cm, 4 g일 때 9 cm이고 3.5 g은 3 g과 4 g의 중간이기 때문에 식용 구연산 3.5 g을 넣었을 때 발생한 탄산수 거품의 최고 높이는 약 8.5 cm일 것입니다.

확인 문제   13쪽

1 (1) × (2) ○ (3) ○   **2** ㉣
3 예나   **4** (분류) 기준
5 ㉠, ㉢   **6** ②, ③

1 (1), (2) 변화가 일어나는 대상은 변화가 일어나기 전, 변화가 일어나는 중, 변화가 일어난 후의 모습을 시간의 흐름에 따라 관찰합니다.
(3) 눈, 코, 입(혀), 귀, 피부의 다섯 가지 감각 기관으로 관찰하기 어려울 때에는 돋보기, 현미경, 청진기 등의 관찰 도구를 사용합니다.

내용 플러스
변화 과정을 잘 관찰하는 방법
• 시간의 흐름에 따라 관찰합니다.
• 변화가 일어나기 전, 변화가 일어나는 중, 변화가 일어난 후를 모두 관찰합니다.
• 변화에 초점을 두고 관찰합니다.
• 가능한 한 많이 관찰합니다.
• 관찰한 내용을 그때그때 기록합니다.

2 탄산수를 만들기 위해 액체(물)의 부피를 측정하기 위해서는 눈금실린더를 사용합니다. ㉠ 저울은 물체의 무게를 측정할 때 사용합니다. ㉡ 돋보기는 물체를 확대하여 자세하게 관찰할 때 사용합니다. ㉢ 약숟가락은 가루 물질을 뜰 때 사용합니다.

3 과학적으로 예상하기 위해서는 이미 측정한 값에서 규칙을 찾아야 합니다. 이때 탐구 대상에 대하여 측정한 값이 많을수록 규칙을 쉽게 찾아낼 수 있으며, 측정하지 않은 값에 대해서도 더 정확하게 예상할 수 있습니다.

4 과학적인 분류를 하려면 탐구 대상의 공통점과 차이점을 바탕으로 분류 기준을 세워야 합니다. 또한 한 번 분류한 것을 여러 단계로 계속 분류하면 분류 대상의 공통점과 차이점이 분명하게 드러나며, 분류 대상 각각의 성질을 자세히 알 수 있습니다.

5 추리할 때에는 대상을 다양하게 관찰하고 이를 바탕으로 하여 추리해야 합니다. 이때 관찰한 것을 과거 경험이나 내가 알고 있는 것과 관련지어 추리하면 더 과학적인 추리를 할 수 있습니다.

6 의사소통을 할 때에는 타당한 근거를 제시하고, 정확한 용어로 간단하게 설명하여 다른 사람이 이해하기 쉽게 말해야 합니다. ① 표, 그림, 그래프, 몸짓 등을 사용하면 자신의 생각을 더 정확하게 전달할 수 있습니다. ④ 의사소통을 할 때에는 다른 사람이 이해하기 쉽게 설명해야 하므로, 어려운 단어를 사용하면서 설명하는 것은 옳지 않습니다. ⑤ 타당한 근거를 제시하여 설명하면 자신과 생각이 다른 사람을 설득할 수 있습니다.

단원 평가   14쪽

1 수지   **2** (3) ○   **3** (1) 영점 단추 (2) 90
4 ②, ④   **5** ①
6 (1) 관찰 (2) 분류 (3) 의사소통

1 변화가 일어나기 전 건포도와 사이다를 각각 관찰하고, 사이다에 건포도를 넣은 뒤 변화가 일어나는 과정, 변화가 일어난 후의 모습을 모두 관찰합니다.

2 가루 물질의 무게를 측정할 때에는 전자저울 위에 약포지를 올리고 영점 단추를 눌러 영점을 맞춘 후, 전자저울에 올린 약포지에 가루 물질을 올려 무게를 측정합니다.

내용 플러스
액체의 부피 측정
눈금실린더를 편평한 곳에 놓은 후 액체의 가운데 오목한 부분에 눈높이를 맞춰 눈금을 읽습니다.

3 ⑴ 전자저울을 사용할 때에는 전자저울을 편평한 곳에 놓고 수평을 맞춘 후 영점 단추를 눌러 영점을 맞춰야 합니다.
⑵ 철 구슬의 개수를 한 개씩 늘릴 때마다 전자저울에 나타난 무게가 15 g씩 늘어나므로, 철 구슬 여섯 개를 올리면 다섯 개를 올렸을 때보다 15 g 늘어나 90 g이 된다는 것을 예상할 수 있습니다.

▲ 철 구슬을 네 개 올렸을 때

▲ 철 구슬을 다섯 개 올렸을 때

4 과학적인 분류 방법은 한 번 분류한 것을 여러 단계로 계속 분류하는 것입니다. 탐구 대상을 특징에 따라 분류하려면 탐구 대상의 공통점과 차이점을 바탕으로 기준을 세웁니다. 한 번 분류한 것을 여러 단계로 계속 분류하면 분류 대상의 공통점과 차이점이 분명하게 드러나며, 분류 대상 각각의 성질을 자세히 알 수 있습니다.
③ 탐구 과정에서 한 번 분류한 것을 여러 단계로 분류하면 분류 대상 전체와 부분의 관계도 쉽게 이해할 수 있습니다.

5 핀치의 부리 모양이 다양한 까닭은 각 핀치의 먹이의 종류가 다르기 때문입니다.

6 과학자들은 여러 가지 현상을 탐구할 때 관찰, 측정, 예상, 분류, 추리, 의사소통과 같은 활동을 합니다.

서술형 **문제**　　　　　　　　　　　　　　15쪽

1 ⑴ 예 눈, 코, 입(혀), 귀, 피부 ⑵ 예 돋보기, 현미경, 청진기 등의 관찰 도구를 사용합니다.　　**2** 예 물의 부피를 측정하기 위하여 눈금실린더가 필요하고, 식용 소다와 식용 구연산의 무게를 측정하기 위하여 전자저울이 필요합니다.　　**3** ⑴ ㉡ ⑵ 예 ㉠의 '핀치가 멋있는가?'에서 '멋있는가?'는 사람에 따라 멋의 기준이 다를 수 있으므로 과학적인 분류 기준이 아닙니다.　　**4** 예 관찰한 핀치의 사진과 꽃 속의 꿀을 먹는 벌새의 사진을 보여 주고, 핀치와 벌새의 부리 모양의 공통점을 그림으로 나타냅니다.

1 변화가 일어나는 대상을 관찰할 때에는 눈, 코, 입(혀), 귀, 피부의 다섯 가지 감각 기관을 사용하여 나타나는 변화를 주의 깊게 관찰합니다. 감각 기관만으로 관찰하기 어려울 때 돋보기, 현미경, 청진기 등의 관찰 도구를 사용하면 더 정확하게 관찰할 수 있습니다.

▲ 돋보기　　　　▲ 현미경　　　　▲ 청진기

채점 기준

상	⑴ 다섯 가지 감각 기관을 모두 옳게 쓰고, ⑵ 관찰 도구의 예를 든 후 관찰 도구를 사용한다는 내용을 알맞게 쓴 경우
중	⑴ 다섯 가지 감각 기관은 모두 옳게 썼으나, ⑵ 도구를 사용한다고만 쓴 경우
하	⑴과 ⑵ 중 한 가지만 옳게 쓴 경우

2 식용 소다를 넣은 물에 식용 구연산을 넣고 유리 막대로 유리컵 속의 물을 저어 주면 '칙' 하는 소리가 나면서 거품이 발생합니다. 탄산수를 더 정확하게 만들기 위해서는 액체의 부피를 측정하는 눈금실린더와 가루 물질의 무게를 측정할 전자저울이 필요합니다.

채점 기준

상	물의 부피를 측정하기 위해 눈금실린더, 식용 소다와 식용 구연산의 무게를 측정하기 위해 전자저울이 필요하다는 내용을 쓴 경우
중	눈금실린더와 전자저울이 필요하다고만 쓴 경우
하	도구의 구체적인 이름없이 액체의 부피를 측정할 도구와 가루 물질의 무게를 측정할 도구가 필요하다고만 쓴 경우

3 분류할 때 가장 중요한 것은 분류 기준을 정하는 것입니다. 탐구 대상의 공통점과 차이점을 바탕으로 분류 기준을 세우며 누가 분류하더라도 같은 분류 결과가 나와야 합니다. '멋'에 대한 기준은 사람마다 다르기 때문에 ㉠의 기준으로 분류하면 분류하는 사람에 따라 분류 결과가 다르게 나올 수 있습니다.

채점 기준

상	⑴ ㉡을 옳게 쓰고, ⑵ ㉠은 멋에 내한 기준이 달라서 분류하는 사람에 따라 결과가 다르게 나올 수 있기 때문이라는 내용을 쓴 경우
중	⑴ ㉡을 옳게 썼으나, ⑵ ㉠은 과학적이지 않아 분류 결과가 다를 것이라고만 쓴 경우
하	⑴ ㉡만 옳게 쓴 경우

4 나의 생각이나 탐구 결과를 다른 사람에게 알릴 때 표, 그림, 그래프, 몸짓 등을 사용하면 더 정확하게 전달할 수 있습니다.

채점 기준

상	'사진을 다양하게 제시하거나 그림으로 나타낸다.' 등의 의사소통을 잘할 수 있는 방법을 다양하게 쓴 경우
하	의사소통을 잘할 수 있는 방법으로 설명한다는 내용만 쓴 경우

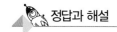

2 지층과 화석

1 지층과 퇴적암

1 ㉢ **2** 수아

1 퇴적암이 만들어질 때 물에 녹아 있는 여러 가지 물질이 알갱이 사이를 채우고 알갱이들을 서로 단단하게 붙게 하는 것처럼 퇴적암 모형 만들기 실험에서는 물 풀이 모래와 모래 사이의 빈 곳을 채우고 모래 알갱이를 서로 붙게 하는 역할을 합니다.

2 모래로 만든 퇴적암 모형과 실제 퇴적암인 사암은 모두 모래로 만들어졌다는 공통점이 있습니다. 퇴적암 모형은 만드는 데 걸리는 시간이 짧지만, 실제 퇴적암인 사암은 만들어지는 데 오랜 시간이 걸리는 차이점이 있습니다.
  • 주완: 퇴적암 모형과 실제 퇴적암은 모양이 똑같지 않습니다.
  • 민희: 퇴적암 모형과 실제 퇴적암 모두 모래 알갱이가 보입니다.

1 보람 **2** ㉤ → ㉣ → ㉢ → ㉡ → ㉠ **3** (3) ○
4 이암 **5** ㉠ 사암 ㉡ 예 거칠거칠하다 **6** ㉢

1 지층은 줄무늬가 보입니다. 두꺼운 층과 얇은 층이 섞여 있으며, 층마다 색깔이 조금씩 달라 다양한 색깔이 섞여 있기도 합니다. 우리가 보는 층층이 쌓인 지층 표면의 줄무늬는 속까지 연결되어 있습니다.

2 아래에 있는 층이 쌓인 다음, 그 위로 새로 운반되어 온 진흙, 모래, 자갈 등이 계속해서 쌓이고 굳어져 새로운 층이 만들어집니다. 따라서 지층에서 아래에 있는 층은 위에 있는 층보다 먼저 쌓인 것입니다.

3 흐르는 물에 운반된 진흙, 모래, 자갈 등이 바닥에 쌓이고, 먼저 쌓인 물질 위로 새로 운반되어 온 진흙, 모래, 자갈 등이 계속해서 오랜 시간 동안 쌓이고 굳어지면 지층이 만들어집니다. 이러한 지층은 땅 위로 솟아오른 뒤 깎이면 우리가 볼 수 있습니다.

4 진흙이나 갯벌의 흙과 같은 작은 알갱이로 되어 있는 퇴적암은 이암입니다. 이암은 주로 색깔이 밝으며, 손으로 만지면 표면이 매끄럽습니다. 이암은 알갱이가 매우 작아 맨눈으로 구별하기 어려우며, 암석 망치로 충격을 주어 깨뜨리면 덩어리 모양으로 깨집니다.

> **내용 플러스**
>
> 이암은 입자 지름이 $\frac{1}{6}$ mm보다 작은 점토가 굳어서 생긴 암석 중에서 사암보다 입자의 크기가 작은 퇴적암입니다. 또, 이암 중에서 층리면과 평행하게 줄무늬가 있고 줄무늬를 따라 얇게 벗겨지는 특징이 있는 암석을 셰일이라고 합니다. 이암의 '이(泥)'는 '진흙'이라는 뜻이고, 셰일(shale)은 '껍질', 또는 '껍질이 벗겨진다'는 뜻입니다.
>
>
> ▲ 셰일

5 퇴적암은 알갱이의 크기에 따라 이암, 사암, 역암으로 분류할 수 있습니다. 사암은 주로 진흙보다 큰 모래 알갱이로 되어 있습니다. 이암은 진흙이나 갯벌의 흙과 같은 작은 알갱이로 되어 있으며, 역암은 주로 자갈과 모래 등으로 되어 있습니다.

6 다른 종이컵으로 모래 반죽을 누르는 것은 모래와 모래 사이가 가까워지도록 하기 위해서입니다. 다른 종이컵으로 모래 반죽을 누르는 것은 실제 퇴적암이 만들어지는 과정에서 퇴적물 위에 쌓이는 새로운 퇴적물이 누르는 힘 때문에 알갱이 사이가 좁아지고 다져지는 과정에 해당합니다.

> **내용 플러스**
>
> **퇴적암 모형과 실제 퇴적암의 공통점과 차이점**
>
>
> ▲ 사암 모형 ▲ 실제 사암
>
> • 퇴적암 모형 만들기 과정은 실제 퇴적암이 만들어지는 과정 중 암석이 풍화되어 운반되고 강이나 바다의 바닥에 쌓이는 과정이 빠져 있습니다.
> • 퇴적암 모형을 만들 때 물 풀을 넣어 반죽을 만드는 것은 물에 녹아 있는 여러 가지 물질이 알갱이 사이의 공간을 채우고 알갱이들을 서로 단단하게 붙게 해 주는 과정을 나타낸 것입니다.
> • 실제 퇴적암이 만들어지는 과정에서는 알갱이들을 서로 단단하게 붙게 하는 작용과 다지는 작용이 동시에 이루어집니다.

화석

1권
1학기

탐구 문제   24쪽

1 (1) ㉢ (2) ㉡ (3) ㉠   **2** (1) ◯ (2) ✕

1 화석 모형 만들기 활동에서 조개껍데기는 옛날에 살았던 생물에 해당하고, 찰흙 반대기는 지층에 해당합니다. 찰흙 반대기에 찍힌 조개껍데기의 겉모양과 알지네이트로 만든 조개껍데기의 형태인 조개껍데기 흔적은 화석에 해당합니다.

2 실제 자연에서 ㉡은 지층 속에 있는 화석이 녹아 없어지고 그 형태가 남은 것으로 화석입니다.

(내용 플러스)

화석 모형과 실제 화석의 공통점과 차이점

   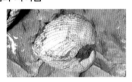

▲ 조개 화석 모형   ▲ 실제 조개 화석

공통점	모양과 무늬가 비슷합니다.
차이점	• 실제 화석은 화석 모형보다 단단합니다. • 실제 화석은 화석 모형보다 색깔과 모양이 선명합니다. • 화석 모형은 만드는 데 걸리는 시간이 짧지만, 실제 화석 만들어지는 데 오랜 시간이 걸립니다.

 확인 문제   25쪽

1 ㉡   **2** (1) ㉠, ㉣ (2) ㉡, ㉢   **3** 재희
4 퇴적물   **5** 예 지층이 솟아오르고 비바람에 깎이면
6 ㉡, ㉢

1 큰 돌을 몇 개 둘러 세우고 그 위에 넓적한 돌을 덮어 놓은 선사 시대의 무덤인 고인돌은 화석이 아니라 사람이 만든 유물입니다. 화석이 모두 돌로 되어 있는 것은 아닙니다. 호박 속에 갇힌 곤충, 얼음 속에 갇힌 매머드 등도 화석입니다.

(내용 플러스)

화석

• 옛날에 살았던 생물의 몸체나 생물이 생활한 흔적이 남아 있는 것을 화석이라고 합니다. 따라서 동물의 발자국이나 기어간 흔적, 호박이나 얼음 속에 갇힌 생물도 화석이 될 수 있습니다.
• 화석은 최소한 만들어진 뒤 약 1만 년 이상이 되어야 합니다. 따라서 모래에 난 사람의 발자국 등은 화석이 아닙니다.
• 화석은 거대한 공룡의 뼈에서부터 현미경으로 관찰할 수 있는 작은 생물까지 그 종류와 크기가 다양합니다.
• 오늘날에 살고 있는 생물과 비교하여 화석 속 생물이 동물인지 식물인지 구분할 수 있습니다.

2 오늘날에 살고 있는 생물과 비교하여 동물 화석과 식물 화석으로 분류할 수 있습니다. ㉠은 물고기 화석, ㉣은 잠자리 화석으로 동물 화석입니다. ㉡과 ㉢은 나뭇잎 화석으로 식물 화석입니다.

(내용 플러스)

동물 화석과 식물 화석

동물 화석	잠자리 화석, 물고기 화석, 삼엽충 화석, 새 발자국 화석, 공룡알 화석, 조개가 판 구멍 화석, 암모나이트 화석, 이빨 화석 등
식물 화석	나뭇잎 화석, 고사리 화석, 나무 열매 화석 등

3 생물이 공기에 오래 드러나 있으면 썩을 수 있기 때문에 화석이 만들어지려면 죽은 생물이 퇴적물 속에 빨리 묻혀야 합니다. 또한, 뼈, 이빨, 껍데기 등과 같이 단단한 부분이 있으면 화석으로 만들어지기 쉽습니다.

4 생물의 몸체 위에 퇴적물이 계속 쌓이고 오랜 시간이 지나면 생물이 화석으로 변합니다.

5 화석이 만들어진 후에 지층이 솟아오르고 밖으로 드러난 지층이 비, 바람 등에 의해 깎이면 화석이 드러납니다.

6 화석을 통하여 옛날에 살았던 생물의 생김새와 옛날에 살았던 생물의 생활 모습을 알 수 있습니다. 이밖에 화석이 발견된 장소의 옛날 환경을 알 수 있고, 화석을 기준으로 멀리 떨어져 있는 지층을 비교할 수 있으며, 지층이 쌓인 순서도 알 수 있습니다. 또 화석을 이용하면 석탄과 석유를 찾을 수 있는데, 그 까닭은 석탄과 석유는 특정 지층에서만 발견되며, 그 지층에 특정한 화석이 들어 있는 경우가 많기 때문입니다.

 단원 평가   26~29쪽

1 ④   **2** (1) 예 층층이 쌓여 있습니다. 줄무늬가 보입니다. (2) 예 무지개 케이크는 만드는 데 걸리는 시간이 짧지만, 실제 지층이 만들어지기까지는 오랜 시간이 걸립니다.
3 휘어진 지층   **4** ㉠   **5** 가윤
6 (나) → (라) → (다) → (가)   **7** (1) ◯   **8** (다)
9 (1) (나), 역암 (2) (다), 이암 (3) (가), 사암   **10** ㉡
11 (가) (나), (다)   **12** (1) (라) (2) 예 모래에 난 발자국은 옛날에 살았던 생물이 남긴 것이 아니기 때문에 화석이 아닙니다. **13** ⑤   **14** ④   **15** 예 단단한
16 ㉠ 퇴적물 ㉡ 화석   **17** (나)   **18** 민준
19 예 물고기 화석이 발견된 지역은 지금은 산이지만 옛날에는 강이나 바다였을 것입니다.   **20** 화석 연료

1 준후는 바닷가의 절벽에서 휘어진 지층을 관찰하고 그림으로 그렸습니다. 지층은 줄무늬가 보이고 층의 두께와 색깔이 모두 다르며, 가장 아래에 있는 층이 가장 두껍습니다. 그러나 지층에서 중간에 끊어져 어긋난 부분은 보이지 않습니다.

---(**내용 플러스**)---

지층
- 진흙, 모래, 자갈 등으로 이루어진 암석들이 층을 이루고 있는 것을 지층이라고 합니다.
- 지층은 산기슭, 바닷가의 절벽, 도로 옆에 산을 깎아 놓은 부분 등에서 볼 수 있습니다.
- 지층은 줄무늬가 보이며, 층의 두께나 색깔 등이 다르며, 모양이 다양합니다.

▲ 수평인 지층

▲ 휘어진 지층

▲ 끊어진 지층

▲ 기울어진 지층

2 실제 지층과 무지개 케이크의 단면을 보면 모두 층층이 쌓여 있습니다. 무지개 케이크는 만드는 데 걸리는 시간이 짧지만, 자연에서 실제 지층이 만들어지기까지는 오랜 시간이 걸립니다.

채점 TIP (1) 층층이 쌓여 있다거나 줄무늬가 보인다는 등의 내용을 쓰고, (2) 무지개 케이크는 만드는 데 걸리는 시간이 짧지만, 실제 지층은 만들어지는 데 시간이 오래 걸린다는 내용을 썼으면 정답으로 합니다.

---(**내용 플러스**)---

실제 지층과 무지개 케이크의 공통점과 차이점

공통점	• 층층이 쌓여 있습니다. • 줄무늬를 볼 수 있습니다. • 층마다 알갱이의 색깔이 다릅니다. 등
차이점	• 실제 지층은 만들어지는 데 오랜 시간이 걸리지만, 무지개 케이크는 만드는 데 걸리는 시간이 짧습니다. • 실제 지층은 단단하지만, 무지개 케이크는 단단하지 않습니다. 등

3 뚜렷하게 구분되는 몇 군데를 선으로 그어 보면 지층의 대략적인 모양을 알 수 있습니다. 주어진 그림은 휘어진 지층의 줄무늬를 따라 선을 그린 것입니다.

4 지구 내부의 힘을 받아 끊어져 어긋난 지층의 모습입니다. 끊어진 지층은 단층이라고 하며, 층이 어긋나 있기도 합니다.

5 지층에서 아래에 있는 층이 위에 있는 층보다 먼저 쌓인 것처럼 지층 모형의 아래에 있는 층이 위에 있는 층보다 먼저 만들어졌습니다.
- 지아, 성준: 색 모래와 색 자갈을 아래에서부터 차례대로 넣어 지층 모형을 만들었습니다. 따라서 아래에 있는 층이 위에 있는 층보다 먼저 만들어졌습니다.

6 지층이 만들어져 발견되기까지의 과정: (나) 흐르는 물에 운반된 진흙, 모래, 자갈 등이 바닥에 쌓입니다. → (라) 먼저 쌓인 물질 위로 새로 운반되어 온 진흙, 모래, 자갈 등이 계속해서 쌓입니다. → (다) 진흙, 모래, 자갈 등이 오랜 시간 동안 쌓이고 굳어지면 지층이 만들어집니다. → (가) 지층이 땅 위로 솟아오른 뒤 깎입니다.

7 지층의 아래에 있는 층이 쌓인 다음, 그 위에 진흙, 모래, 자갈 등이 쌓여서 새로운 층이 만들어지므로 아래에 있는 ㉣ 층이 가장 먼저 쌓인 것입니다. 지층은 ㉣ → ㉢ → ㉡ → ㉠ 순서로 층이 쌓였습니다.
(2) ㉠~㉣ 중 ㉣이 가장 먼저 쌓였습니다.
(3) ㉡과 ㉣은 같은 시기에 쌓인 층이 아닙니다. 아래에 있는 ㉣이 쌓인 뒤에 ㉡이 쌓였습니다.
(4) ㉣에서 화석이 발견되었다고 해서 ㉢에서 화석이 발견되지 않는 것은 아닙니다.

8 색깔이 밝고, 손으로 만졌을 때의 느낌이 매끄러우며 알갱이가 매우 작아 맨눈으로 구별하기 어려운 퇴적암은 (다) 이암입니다. 알갱이의 지름이 0.02 mm로 작은 것들을 주성분으로 합니다.

---(**내용 플러스**)---

퇴적암의 일반적인 특징

구분	이암	사암	역암
알갱이의 크기	$\frac{1}{16}$ mm 이하로 작습니다.	$\frac{1}{16}$~2 mm로 보통입니다.	2 mm 이상으로 큽니다.
색깔	다양합니다.	다양합니다.	다양합니다.
손으로 만졌을 때의 느낌	매끄럽습니다.	약간 거칩니다.	다양합니다.
기타	덩어리 모양으로 깨집니다.	모래 크기의 알갱이들이 보입니다.	굵은 자갈이 뚜렷하게 보입니다.

9 (가)는 주로 모래 알갱이로 되어 있는 사암, (나)는 주로 자갈과 모래 등으로 되어 있어 알갱이가 가장 큰 역암, (다)는 진흙이나 갯벌의 흙과 같은 작은 알갱이로 되어 있는 이암입니다. 퇴적암은 알갱이의 크기에 따라 이암, 사암, 역암으로 분류할 수 있습니다.

10 강이나 바다로 운반된 진흙, 모래, 자갈 등의 퇴적물이 쌓이고, 그 위에 쌓이는 퇴적물이 누르는 힘 때문에 알갱이 사이의 공간이 좁아지며, 물속에 녹아 있는 여러 가지 물질이 알갱이들을 서로 붙게 하여 단단한 퇴적암이 만들어집니다. 실제 자연에서는 퇴적물의 알갱이 사이의 공간이 좁아지는 과정과 단단하게 붙는 과정이 동시에 이루어집니다. 물속에 녹아 있는 여러 가지 물질은 퇴적암 모형을 만들 때 넣는 물풀과 같은 역할을 합니다.

❶ 퇴적물이 운반된다.
❷ 퇴적물이 쌓인다.
❸ 퇴적물이 눌린다.
❹ 여러 가지 물질이 퇴적물을 서로 붙게 하면 퇴적암이 된다.

▲ 퇴적암이 만들어지는 과정

11 옛날에 살았던 생물의 몸체나 생물이 생활한 흔적이 남아 있는 것을 화석이라고 합니다. 따라서 ㉮ 벌, ㉯ 새우, ㉰ 물고기는 화석이고, ㉱ 모래에 난 발자국은 화석이 아닙니다. 벌은 육지에서 사는 생물이므로 ㉮ 벌 화석은 육지 생물 화석으로 분류하고, 새우와 물고기는 바다에서 사는 생물이므로 ㉯ 새우 화석과 ㉰ 물고기 화석은 바다 생물 화석으로 분류할 수 있습니다.

12 모래에 난 발자국은 옛날에 살았던 생물이 남긴 것이 아니기 때문에 화석이 아닙니다. 고인돌, 화산재에 덮인 사람, 미라 등은 화석이 아닙니다.

채점 TIP (1) ㉱를 옳게 쓰고, (2) 모래에 난 발자국은 옛날에 살았던 생물이 남긴 것이 아니기 때문이라는 내용을 썼으면 정답으로 합니다.

13 동물의 부드러운 살보다는 동물의 뼈나 껍데기, 이빨과 같이 단단한 부분이 있으면 화석이 되기 쉽습니다. 식물의 씨도 화석이 될 수 있습니다.

▲ 공룡 뼈 화석　　▲ 상어 이빨 화석　　▲ 나뭇잎 화석

14 고사리는 따뜻하고 습기가 많은 곳에서 잘 자라므로, 고사리 화석이 발견된 장소는 옛날에 따뜻하고 습기가 많은 육지였을 것입니다. 산호는 따뜻하고 깊이가 얕은 바다에서 살므로 산호 화석이 발견된 곳은 옛날에 따뜻하고 깊이가 얕은 바다였을 것입니다.
④ 지층이 쌓인 순서는 ㉢, ㉣, ㉡, ㉠이므로 ㉣ 지층 속에 있는 산호 화석이 ㉠ 지층 속에 있는 고사리 화석보다 먼저 만들어졌습니다.

15 동물의 뼈, 이빨, 껍데기, 식물의 잎, 줄기, 씨 등과 같이 단단한 부분이 있으면 화석이 될 가능성이 높습니다.

16 강, 호수, 바다의 바닥에 죽은 생물이 묻히고 그 위에 퇴적물이 쌓입니다. 퇴적물이 계속 쌓이고 오랜 시간이 지나면 그 속의 생물이 화석이 됩니다.

17 조개껍데기 자국이 모두 덮이도록 알지네이트 반죽을 붓는 것은 실제 화석이 만들어질 때 죽은 생물 위에 퇴적물이 쌓이는 과정을 나타낸 것입니다.

18 바다 밑에서 죽은 상어 위에 퇴적물이 두껍게 계속해서 쌓이면 단단한 지층이 만들어지고 그 속에 묻힌 죽은 상어가 화석으로 만들어집니다. 그 후 지층이 오랫동안 지구 내부의 힘을 받으면 높게 솟아오르기도 합니다. 지층이 높게 솟아오른 뒤 깎이면 그 속에 있던 상어 화석이 드러나는 것입니다.

19 물고기는 강이나 바다에서 사는 동물이므로, 물고기 화석이 발견되었다면 그 지역은 옛날에 강이나 바다였다는 것을 알 수 있습니다.

채점 TIP 물고기 화석이 발견된 곳이 지금은 산이지만 옛날에는 강이나 바다였을 것이라는 내용을 썼으면 정답으로 합니다.

┌─────────────────────────────────
내용 플러스

화석의 이용
• 옛날에 살았던 생물의 종류, 크기, 생김새 등을 알 수 있습니다.
• 화석이 발견된 지역의 당시 환경을 알 수 있습니다.

〈표준 화석〉
– 특정 시기에만 살아 발견된 층을 구별하고 층의 쌓인 시기를 알려 주는 화석입니다.
– 옛날에 살았던 생물 중에서 생존 기간이 짧고 넓은 지역에 걸쳐 살았던 생물의 화석입니다.
– ㉮ 고생대의 삼엽충 화석, 중생대의 암모나이트 화석과 공룡 화석, 신생대의 매머드 화석

▲ 매머드 화석

〈시상화석〉
– 화석이 발견된 지층의 퇴적 환경을 알려 주는 화석입니다.
– 옛날에 살았던 생물 중에서 생존 기간이 길고 특정한 지역에서만 살았던 생물의 화석입니다.
– ㉮ 화석이 발견된 곳이 당시에 얕고 따뜻한 바다였음을 알려 주는 산호 화석, 화석이 발견된 곳이 당시에 따뜻하고 습기가 많은 지역이었음을 알려 주는 고사리 화석

• 화석이 발견된 지층이 만들어진 시기를 알 수 있습니다.
• 석탄, 석유, 천연가스 등이 묻혀 있는 곳을 찾을 수 있습니다. 석탄과 석유는 특정 지층에서만 발견되며, 그 지층에 특정한 화석이 들어 있는 경우가 많기 때문입니다. 예를 들어 방추충 화석이 나오는 지층에는 석탄이 같이 나오는 경우가 많습니다.
─────────────────────────────────┘

20 옛날 생물이 땅속에 묻힌 후 굳어져 오늘날 연료로 이용하는 석탄과 석유를 화석 연료라고 합니다.

내용 플러스

석탄과 석유

연료로 사용하는 석탄과 석유는 옛날의 생물이 변한 것으로 화석 연료라고 합니다. 석탄은 매우 오래전에 울창한 숲을 이루었던 습지 식물이 땅속에 묻히고 그 위에 퇴적물이 쌓여 만들어집니다. 석유가 만들어지는 과정은 과학자들 간에 차이가 있는데 현재 가장 널리 받아들여지고 있는 것은 주로 바다 표면 근처에 살던 작은 생물인 동물성 플랑크톤이 땅속에 묻히고 그 위에 퇴적물이 계속 쌓여 석유가 만들어진다는 것입니다.

▲ 석탄　　　　　▲ 석유를 채취하는 모습

30~31쪽

1 (1) 지층 (2) ⓔ 지층의 아래에 있는 층이 쌓인 다음, 그 위에 진흙, 모래, 자갈 등이 쌓여서 새로운 층이 만들어지는 것처럼 고무찰흙 지층 모형의 가장 아래에 있는 층이 위에 있는 층보다 먼저 쌓은 것입니다. **2** ⓔ 새로 운반되어 온 진흙, 모래, 자갈 등에 의해 먼저 쌓인 진흙, 모래, 자갈 등이 눌리면서 단단하게 굳어져 지층이 만들어집니다. **3** ⓔ 퇴적물은 바닷물에 떠서 이동하다가 바닥에 가라앉는데, 그중 무거운 것은 이동 거리가 짧고 가벼운 것은 멀리까지 이동하기 때문입니다. **4** ⓔ ㈎ 과정에서 퇴적물 위에 쌓이는 퇴적물이 누르는 힘 때문에 알갱이 사이 공간이 좁아지고, ㈏ 과정에서 물속에 녹아 있는 여러 가지 물질이 알갱이들을 서로 단단하게 붙게 해 주기 때문입니다. **5** ⓔ 화석은 옛날에 살았던 생물의 몸체나 생활한 흔적이 남아 있는 것으로, 진흙 위 신발 자국은 옛것이 아니므로 화석이 아닙니다. **6** 2단계 ⓔ 죽은 생물 위에 퇴적물이 두껍게 쌓입니다. 4단계 ⓔ 지층이 솟아오른 뒤 비, 바람 등에 깎이면 화석이 드러납니다. **7** ⓔ 화석을 연구하면 옛날에 살았던 생물의 생김새와 생활 모습을 알 수 있으며, 화석이 발견된 지역의 옛날 환경과 지층이 언제 쌓였는지도 알 수 있습니다. **8** ⓔ 발자국이 남은 동물들이 살았을 당시에는 단단한 층이 아니라 부드러운 진흙으로 되어 있어 동물의 발자국이 남았기 때문입니다.

1 고무찰흙을 여러 장 쌓아 지층 모형을 만든 것으로, 색깔이 다른 고무찰흙을 여러 장 쌓아서 여러 방향으로 자르면 안쪽 면과 바깥쪽 면의 모양이 서로 같습니다. 실제 지층에서도 안쪽 면과 우리가 볼 수 있는 바깥쪽 면의 모양이 같습니다.

안쪽 면
바깥쪽 면

채점 기준

상	(1) 지층을 옳게 쓰고, (2) 지층에서 아래에 있는 층이 위에 있는 층보다 먼저 쌓인 것처럼 고무찰흙 모형도 아래에 있는 층이 위에 있는 층보다 먼저 쌓은 것이라고 쓴 경우
중	(1) 지층을 옳게 쓰고, (2) 아래에 있는 층이 먼저 쌓은 것이라고만 쓴 경우
하	(1) 지층만 옳게 쓴 경우

2 흐르는 물에 운반되어 온 진흙, 모래, 자갈 등이 오랜 시간 동안 계속해서 쌓이고 단단하게 굳어져 지층이 만들어집니다.

채점 기준

상	먼저 쌓인 물질이 눌리면서 단단하게 굳어져 지층이 만들어진다는 내용을 쓴 경우
중	지층이 만들어진다고만 쓴 경우
하	먼저 쌓인 물질이 눌린다고만 쓴 경우

내용 플러스

지층이 만들어지는 과정

흐르는 물에 운반된 진흙, 모래, 자갈 등이 바닥에 쌓입니다. → 먼저 쌓인 물질 위로 새로 운반되어 온 진흙, 모래, 자갈 등이 계속해서 쌓입니다. → 진흙, 모래, 자갈 등이 오랜 시간 동안 쌓이고 굳어지면 지층이 만들어집니다.

3 흐르는 물에 운반되어 온 퇴적물 중 무거운 것이 먼저 가라앉습니다. 따라서 무거운 것은 육지와 가까운 곳에 쌓이고 가벼운 것은 무거운 것보다 멀리 이동하여 육지에서 먼 곳에 쌓이게 됩니다. 자갈은 모래보다 무겁고 모래는 진흙보다 무거우므로, 육지에서 가까운 곳에는 주로 무거운 자갈이 쌓이고, 육지에서 멀어질수록 모래, 진흙 순서로 쌓입니다. 역암은 주로 자갈, 모래 등이 굳어 만들어지고, 사암은 주로 모래가 굳어 만들어지며, 이암은 진흙과 같은 작은 알갱이가 굳어 만들어집니다. 즉, 육지로부터의 거리에 따라 만들어진 퇴적암이 다른 까닭은 바닷물에 떠서 이동하는 퇴적물 중 무거운 것은 이동 거리가 짧고 가벼운 것은 이동 거리가 멀기 때문입니다.

채점 기준

상	퇴적물의 종류에 따라 무거운 것은 이동 거리가 짧고, 가벼운 것은 멀리까지 이동한다는 내용을 구체적으로 쓴 경우
중	퇴적물의 종류에 따라 무거운 것과 가벼운 것의 이동 거리가 다르기 때문이라고만 쓴 경우
하	퇴적물에 따라 이동 거리가 다르다고만 쓴 경우

4 ㈎ 쌓인 퇴적물은 그 위에 쌓이는 퇴적물이 누르는 힘 때문에 알갱이 사이의 공간이 좁아지고, ㈏ 물속에 녹아 있는 여러 가지 물질이 알갱이들을 서로 단단하게 붙게 하여 퇴적암이 만들어집니다.

채점 기준

상	㈎는 점점 쌓이는 퇴적물이 누르는 힘에 의해, ㈏는 물속에 녹아 있는 물질이 알갱이들을 서로 단단하게 붙게 하기 때문이라는 내용을 옳게 쓴 경우
중	㈎는 퇴적물이 누르는 힘에 의해, ㈏는 알갱이들을 붙게 하는 물질 때문이라고만 쓴 경우
하	㈎와 ㈏ 중 한 가지에 대해서만 알맞게 쓴 경우

---(**내용 플러스**)---

퇴적암이 만들어지는 과정

❶ 비, 바람 등에 의하여 암석이 부서져 작은 자갈이나 모래가 됩니다.

❷ 흐르는 물에 의하여 운반되어 강이나 바다에 쌓입니다.

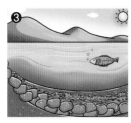

❸ 새로 쌓이는 퇴적물에 의하여 눌립니다.

❹ 퇴적물의 부피가 줄어들고 다져지며, 서로 붙습니다.

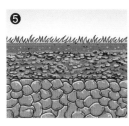

❺ 오랜 시간 반복되어 퇴적암이 됩니다.

5 최소한 만들어진 뒤 약 1만 년 이상 지나야 화석이라고 할 수 있습니다. 진흙 위에 난 신발 자국은 옛것이 아니므로, 화석의 기준에 맞지 않습니다.

채점 기준

상	화석의 의미를 정확하게 쓰고, 진흙 위 신발 자국은 옛것이 아니라는 내용을 옳게 쓴 경우
중	화석은 오래전에 만들어진 것이어야 하는데 진흙 위 신발 자국은 오래되지 않았다는 내용으로 쓴 경우
하	옛것이 아니라고만 쓴 경우

6 화석이 만들어지려면 죽은 생물 위에 퇴적물이 빠르게 쌓여야 합니다. 또한 동물의 뼈나 껍데기, 이빨, 식물의 잎, 줄기, 씨 등과 같이 단단한 부분이 있으면 화석으로 만들어지기 쉽습니다.

채점 기준

상	2단계와 4단계를 모두 알맞게 쓴 경우
중	2단계와 4단계의 내용을 모두 썼으나 설명이 부족한 경우
하	2단계와 4단계 중 한 단계의 내용만 알맞게 쓴 경우

7 화석이 가진 가장 큰 중요한 점 중 하나는 옛날 생물에 대한 정보를 얻을 수 있는 것입니다. 그 시대에 살았던 생물의 종류, 크기, 모양, 생태계에 관한 자료를 가장 확실하게 얻을 수 있습니다. 또한 화석을 통해 지층이 쌓인 시기와 화석이 발견된 장소의 옛날 환경, 석탄이나 석유 등의 지하자원 탐사에 대한 도움 등도 얻을 수 있습니다.

채점 기준

상	옛날에 살았던 생물의 생김새, 생활 모습, 화석이 발견된 지역의 환경, 지층이 쌓인 시기 등을 알 수 있다는 내용 중 한 가지 이상 알맞게 쓴 경우
하	옛날에 살았던 생물의 생김새, 생활 모습, 화석이 발견된 지역의 환경, 지층이 쌓인 시기 등을 알 수 있다는 내용 중 한 가지만 쓴 경우

8 동물들이 지나갈 당시에는 부드러운 진흙으로 되어 있었기 때문에 동물들이 지나가면서 발자국이 남았고, 그 위에 퇴적물이 쌓이면서 단단하게 굳어져 동물들의 발자국 화석이 된 것입니다. 동물들의 발자국 화석이 발견된 지층을 보고 그 시대에 어떤 동물들이 살았는지 알 수 있습니다.

채점 기준

상	발자국이 남은 동물들이 살았던 시기에는 단단한 층이 아니라 부드러운 진흙으로 되어 있었기 때문에 동물의 발자국이 찍힐 수 있었다는 내용을 쓴 경우
중	발자국이 남은 동물들이 살았던 시기에는 단단하지 않았기 때문이라고만 쓴 경우
하	발자국이 남은 동물들이 살았던 시기에는 지금과 달랐기 때문이라고만 쓴 경우

참고 층이 물렁물렁했기 때문이다 또는 층이 부드러웠기 때문이라는 내용을 쓴 경우에도 정답으로 합니다.

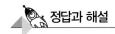

3 식물의 한살이

1 씨가 싹 트는 조건

탐구 문제   40쪽

1 (1) ㄹ (2) ㄱ, ㄴ, ㄷ, ㅁ, ㅂ   **2** 수연

1 씨가 싹 트는 데 온도가 어떤 영향을 미치는지 알아보기 위해서는 온도의 조건만 다르게 하고 나머지 조건은 모두 같게 해야 온도가 미치는 영향에 대한 정확한 결괏값을 얻을 수 있습니다.

2 냉장고에 넣어 둔 페트리 접시의 강낭콩은 싹이 트지 않았고, 냉장고 밖에 둔 페트리 접시의 강낭콩은 싹이 텄습니다. 이것으로 보아 씨가 싹 트려면 적당한 온도가 필요하다는 것을 알 수 있습니다. 씨는 알맞은 온도에서 물을 충분히 흡수하면 껍질이 부풀면서 싹이 트는데, 씨가 싹 트기에 적당한 온도는 18~25℃로, 온도가 너무 높거나 낮으면 씨가 싹 트기에 적당하지 않습니다.

확인 문제   41쪽

1 ㄱ 껍질 ㄴ 작   **2** (1) ○   **3** (1) ㄴ (2) ㄱ
4 ㄴ   **5** 민혁   **6** ㄹ → ㄴ → ㅁ → ㄱ → ㄷ

1 씨는 식물의 종류에 따라 모양, 색깔, 크기 등이 다양합니다. 씨의 생김새는 조금씩 다르지만, 씨는 단단하고 껍질이 있으며 대부분 주먹보다 크기가 작습니다. 씨 속에는 나중에 자라서 식물이 될 부분이 들어 있습니다.

(**내용 플러스**)

여러 가지 씨 관찰하기

씨의 종류		특징
봉숭아씨		• 둥급니다. • 어두운 갈색입니다.
참외씨		• 길쭉합니다. • 연한 노란색입니다.
사과씨		• 둥글고 길쭉하며 갈색입니다. • 한쪽은 모가 나 있습니다.
채송화씨		• 동그랗습니다. • 검은색입니다.
강낭콩		• 둥글고 길쭉합니다. • 검붉은색 또는 알록달록한 색입니다.
호두		• 동그랗고 주름이 있습니다. • 연한 갈색입니다.

2 씨가 싹 트는 데 물이 어떤 영향을 미치는지 알아보기 위한 실험입니다. 물을 주는 조건 외 온도, 공기, 탈지면, 페트리 접시 등의 나머지 조건은 모두 같게 합니다. 약 일주일 뒤에 물을 준 페트리 접시의 강낭콩만 싹 튼 것을 볼 수 있으며, 씨가 싹 트는 데 물이 필요하다는 것을 알 수 있습니다.

(**내용 플러스**)

씨가 싹 트는 데 온도가 어떤 영향을 미치는지 알아보는 실험 조건

다르게 할 조건	온도
같게 할 조건	물, 공기, 탈지면, 페트리 접시 등

3 냉장고 밖에 둔 페트리 접시의 강낭콩은 온도가 적당하여 싹이 트지만, 냉장고에 넣어 둔 페트리 접시의 강낭콩은 온도가 낮아 싹 트지 않았습니다.

4 씨가 싹 트려면 물과 온도의 조건이 모두 적당해야 합니다.

(**내용 플러스**)

씨가 싹 트는 데 빛이 미치는 영향 알아보기

알루미늄 접시

• 빛을 가린 경우와 빛을 가리지 않은 경우에 강낭콩이 싹 트는지 알아봅니다. 이때 빛 외의 조건은 모두 같게 합니다.
• 빛을 가린 강낭콩과 빛을 가리지 않은 강낭콩 모두 싹 틉니다. 이것으로 보아 빛은 씨가 싹 트는 데 영향을 주지 않는다는 것을 알 수 있습니다.
• 모든 씨가 싹 트는 데 빛이 필요없는 것은 아닙니다. 겨우살이, 무화과나무 등의 씨는 싹 틀 때 빛이 필요하지만 물을 흡수한 뒤 일정한 시간 빛을 쬐어 주면 그 후에는 빛이 없는 곳에서도 싹이 틉니다.

5 한살이를 관찰할 식물은 적당한 크기로 자라고 한살이 기간이 짧은 것이 좋습니다. 구하기 쉽고 키우기 쉬운 식물로 잎, 줄기, 꽃, 열매의 구분이 명확해야 각 부분을 쉽게 관찰할 수 있습니다.

(**내용 플러스**)

한살이를 관찰하기에 적당한 식물

강낭콩   봉숭아   나팔꽃

6 화분에 물을 주었을 때 흙이 화분 바닥의 구멍을 막지 않고 물이 잘 빠져나가게 하기 위해서 그물망과 작은 돌로 구멍을 막은 후, 거름흙을 넣고 씨를 심습니다.

2 싹 트기, 식물의 잎과 줄기

탐구 문제 44쪽

1 물　　2 ㉡

1 식물이 자라는 데 물이 어떤 영향을 미치는지 알아보기 위해 물의 조건만 다르게 하고 나머지 조건은 모두 같게 한 실험입니다.

2 식물은 태양으로부터 받는 빛을 이용하여 자라는 데 필요한 양분을 만들기 때문에 식물이 자라는 데 빛이 필요합니다. 햇빛을 쬔 ㉠ 화분의 식물은 잎의 색깔이 진하고 줄기가 굵게 자라지만, 햇빛 차단 장치를 씌운 ㉡ 화분의 식물은 잎의 색깔이 연하고 줄기가 가늘게 자랍니다.

확인 문제 45쪽

1 (가) 뿌리 (나) 떡잎 (다) 본잎　　2 (나) ㉡ (다) ㉠
3 ㉠ → ㉢ → ㉣ → ㉡　　4 (1) (가) (2) ㉡
5 물　　6 줄기

1 강낭콩이 물을 흡수하여 부풀면, 뿌리가 나오고 씨껍질이 벗겨지면서 두 장의 떡잎이 나옵니다. 떡잎 사이로는 본잎이 나와 위로 자랍니다.

2 (나) 떡잎은 강낭콩이 싹 틀 때 필요한 양분을 저장하고 있습니다. 강낭콩이 싹 트고 (다) 본잎이 자라면서 떡잎에 있는 양분이 사용되고 나면 떡잎은 쭈글쭈글해지고 나중에는 시들어 떨어집니다.

3 딱딱했던 씨가 부풀며 씨껍질 사이로 뿌리가 먼저 나옵니다. 줄기를 둘러싸고 있는 떡잎싸개가 먼저 나와 위쪽으로 밀고 올라가면서 흙을 뚫습니다. 본잎은 떡잎싸개에 둘러싸여 땅 위로 나오며, 떡잎싸개의 빈 공간을 이용하여 위로 자랍니다.

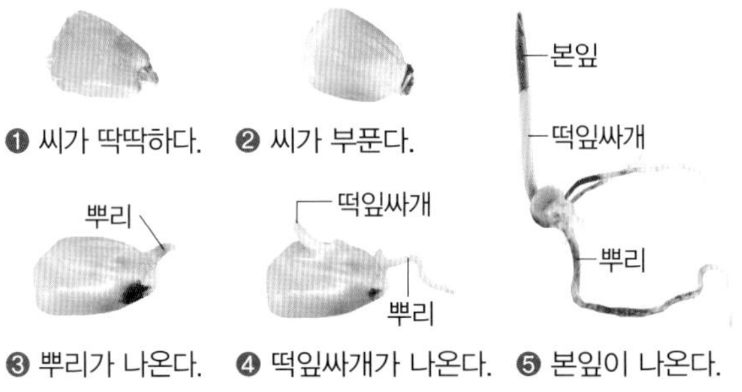

❶ 씨가 딱딱하다.　❷ 씨가 부푼다.　❸ 뿌리가 나온다.　❹ 떡잎싸개가 나온다.　❺ 본잎이 나온다.

4 한 화분에는 물을 적당히 주고, 다른 화분에는 물을 주지 않으면서 강낭콩의 변화를 관찰하면, 10일 후에 물을 적당히 준 화분의 강낭콩만 잘 자란 것을 볼 수 있습니다. 물을 주지 않은 (나) 화분의 강낭콩은 시들고 잘 자라지 못합니다.

5 물의 조건만 다르게 하고 화분의 크기, 식물의 종류, 햇빛, 양분, 온도 등의 다른 조건은 모두 같게 했을 때 (가) 화분의 강낭콩만 잘 자란 결과를 보고 식물이 자라는 데 물이 필요하다는 것을 알 수 있습니다.

> **내용 플러스**
> **물을 주지 않은 화분의 강낭콩이 잘 자라지 못하는 까닭**
> 물은 식물이 살아가는 데 필요한 양분을 스스로 만드는 광합성을 할 때 사용되며, 양분이나 다른 물질을 이동하는 운반 기능에도 사용됩니다. 따라서 물을 주지 않으면 식물 세포(생명체를 이루는 기본 단위) 내에 물이 부족해져 형태를 유지하기 힘들게 되고 결국 시들어 버립니다.

6 강낭콩이 자라면서 잎이 점점 넓어지고 개수도 많아집니다. 줄기도 점점 길어지면서 굵기도 굵어집니다.

> **내용 플러스**
> **식물이 자라는 데 필요한 조건**
> 식물이 잘 자라려면 물과 햇빛 외에도 이산화 탄소, 알맞은 온도, 양분 등이 필요합니다.

3 꽃과 열매, 여러 식물의 한살이

탐구 문제 48쪽

1 ㉠ 떡잎 ㉡ 꽃 ㉢ 꼬투리　2 (1) ○ (2) × (3) ○

1 봉숭아는 씨가 싹 트고 두 장의 떡잎이 나온 후 본잎이 나옵니다. 잎과 줄기가 자라고 꽃이 피며, 꽃이 지면 열매인 꼬투리가 생깁니다.

2 봉숭아는 봄에 싹이 터서 가을에 열매를 남기고 한살이 과정을 끝내는 한해살이 식물입니다.
(2) 꼬투리 속에는 어두운 갈색의 둥근 씨가 여러 개 들어 있습니다.

탐구 문제 49쪽

1 ㉣　　2 ㉢ → ㉠ → ㉡

1 사과나무는 잎이 모두 떨어진 뒤에도 겨울에 죽지 않고 살아남습니다. 봄에 새로운 잎이 나와 자라면서 한살이가 반복됩니다.

2 여러해살이 식물 중 나무의 경우 싹이 터서 몇 년 동안 자라다가 적당한 크기로 자라면 꽃이 피고 열매를 맺습니다. 나무는 열매를 맺은 뒤 죽지 않고 대부분 잎이 모두 떨어진 채 겨울을 지내며, 이듬해 새순이 나오고 꽃을 피우며 열매 맺는 것을 반복합니다.

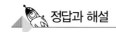

1 ①, ③   **2** (새로운 강낭콩) 씨   **3** 나은

4 (라) → (다) → (바) → (나) → (마)

5 한해살이 식물   **6** ②   **7** ④, ⑤

8 ⓒ   **9** 은우   **10** ㉠ 잎 ㉡ 줄기(뿌리) ㉢ 뿌리(줄기)   **11** (1) ㉠, ㉢ (2) ㉡, ㉣

12 예 씨가 싹 터서 자라며 꽃이 피고 열매를 맺어 번식하는 한살이 과정을 거칩니다.

1 강낭콩이 자라면서 꽃봉오리의 개수가 점점 많아지고, 활짝 피는 꽃이 많아지며, 꽃이 진 자리에 열매인 꼬투리가 생깁니다.
④ 꼬투리의 크기가 점점 커집니다.
⑤ 꽃봉오리의 개수가 많아지고 꽃이 피며, 꽃이 지고 나면 열매(꼬투리)가 생깁니다.

2 강낭콩의 꽃이 지고 나면 꼬투리가 생깁니다. 꼬투리 안에는 새로운 강낭콩 여러 개가 줄지어 들어 있으며, 꼬투리가 터지면서 강낭콩이 땅에 떨어져 다시 싹 트고 자랍니다.

3 강낭콩에 작은 몽우리가 더 커지더니 꽃봉오리가 됩니다. 활짝 피는 꽃이 많아지다가 꽃이 지고 난 자리에 열매인 작은 꼬투리가 보입니다. 꼬투리가 조금 더 커지고 개수도 많아집니다. 꼬투리가 다 익으면 새로운 씨가 들어 있습니다.

4 봉숭아씨가 싹 트면 두 장의 떡잎이 땅 위로 나옵니다. 첫 번째 본잎은 한 장씩 마주나며 두 번째 본잎부터는 두 장씩 어긋납니다. 잎과 줄기가 자라고 꽃이 피며, 꽃이 지고 나면 꼬투리가 생깁니다. 꼬투리 안에 새로운 봉숭아씨가 들어 있습니다.

5 봉숭아와 같이 한 해 동안 한살이를 거치고 일생을 마치는 식물을 한해살이 식물이라고 합니다. 보통 풀이 한해살이 식물에 속합니다.

6 봉숭아와 옥수수는 한해살이 식물로 한살이가 일 년 이내에 이루어집니다. 민들레와 비비추는 풀이지만 한살이가 여러 해 동안 이루어지는 여러해살이 식물입니다. 무궁화는 여러해살이 식물 중 나무에 해당합니다.

(**내용 플러스**)
여러 가지 식물이 겨울을 나는 방법
• 민들레, 질경이, 냉이, 엉겅퀴: 눈을 땅 위에 조금 내놓은 채 가을까지 자랐던 시든 뿌리잎으로 추위를 이겨 냅니다. 이때 여러 장의 뿌리잎은 서로 겹쳐지지 않고 사방으로 퍼져 있어 햇빛을 조금이라도 더 받아 추위를 견딥니다.
• 우엉, 인삼: 땅속에 묻힌 뿌리로 겨울을 납니다.

7 강낭콩과 봉숭아는 두 장의 떡잎이 나온 후 본잎이 나오며 자라는 한해살이 식물입니다.

8 식물은 번식하기 위해 꽃을 피우고 열매를 맺어 씨를 퍼뜨립니다.

(**내용 플러스**)
식물의 번식 방법
식물은 번식을 위하여 크게 두 가지 방법을 이용합니다. 한 가지 방법은 씨를 만들어 번식하는 방법이고, 다른 한 가지는 잎, 줄기, 뿌리와 같은 영양 기관에 의해 번식하는 영양 생식 방법입니다. 식물 중에는 잘린 잎이나 줄기, 뿌리만 있어도 뿌리를 내리고 살아남는 것이 있는데, 이러한 식물의 경우 영양 생식의 방법으로 번식시키기도 합니다. 영양 생식은 우수한 품종을 보존하거나 빠르게 재배하기 위해 사용하며, 꺾꽂이, 포기 나누기, 휘묻이, 접붙이기 등이 있습니다.

▲ 포기 나누기   ▲ 휘묻이   ▲ 접붙이기

9 여러해살이 식물인 목련은 여러 해를 살면서 한살이를 반복합니다.

10 겨울에도 잎이 지지 않는 나무를 제외한 나머지 나무는 겨울이 다가오면 잎이 떨어지고 추위를 덜 타는 가지와 줄기, 뿌리만 남습니다.

(**내용 플러스**)
겨울에도 잎이 떨어지지 않는 나무에는 소나무, 잣나무, 전나무, 가문비나무, 사철나무, 동백나무 등이 있습니다.

11 한해살이 식물은 한 해 동안 한살이를 거치고 일생을 마치는 식물입니다. 벼, 봉숭아, 강낭콩, 옥수수, 호박 등과 같은 풀이 한해살이 식물에 속합니다. 여러해살이 식물은 씨를 심어 적당한 크기로 자라는 데 몇 년이 걸리고, 어느 정도 자란 뒤 새로운 잎이 나고 열매와 씨를 만드는 한살이 과정을 여러 해 동안 반복합니다. 나무와 민들레, 비비추, 엉겅퀴, 국화, 제비꽃 등과 같은 일부 풀이 여러해살이 식물에 속합니다.

12 한해살이 식물과 여러해살이 식물은 한살이의 기간은 다르지만, 모두 씨가 싹이 터서 자라 꽃이 피고 열매를 맺어 대를 잇는 한살이 과정을 거치는 공통점이 있습니다.

채점 TIP 씨가 싹 터서 자라 꽃이 피고 열매를 맺는 한살이 과정을 거친다는 내용을 썼으면 정답으로 합니다.

(**내용 플러스**)
한해살이 식물과 여러해살이 식물의 차이점
한해살이 식물은 열매를 맺고 한 해만 살고 죽지만, 여러해살이 식물은 여러 해를 살면서 열매 맺는 것을 반복합니다.

52~55쪽

1 ④　　　　**2** 예 씨가 싹 트려면 물이 필요합니다.

3 ㉠　　　　**4** 온도　　**5** (1) 봉숭아 ○ 나팔꽃 ○ (2) ㉢

6 ㉣　　　　**7** 태리　　**8** ④

9 (1) ㉠ 본잎 ㉡ 떡잎싸개 (2) ㉡　　**10** (1) ㉡ (2) 예

잎이 줄기에 붙어 있는 부분에서 잎의 끝부분까지 자로 잽니다.

11 ㉡　　　　**12** 예 화분을 햇빛이 잘 드는 곳으로 옮깁니

다. 햇빛을 막은 가림판을 제거합니다.　　**13** ⑤

14 ④　　　　**15** (1) 꼬투리 (2) ㉠　　　　**16** (라) → (가) →

(다) → (나)　　　　**17** ㉠ 씨 ㉡ 번식

18 (1) 해바라기, 코스모스 / 목련, 진달래 (2) 한살이 기간

19 ㉡　　　　**20** 예 비비추와 무궁화는 겨울이 되면 죽지

않고 살아남습니다. 이듬해에 다시 새순이 나와 한살이를 반

복합니다.

1 씨는 식물의 종류에 따라 모양, 색깔, 크기 등이 다양하지
만, 단단하고 껍질이 있으며 대부분 주먹보다 크기가 작습
니다. ④ 강낭콩은 검붉은색이고, 껍질이 있습니다.

2 실험에서 물을 준 페트리 접시의 강낭콩은 싹이 텄지만 물을
주지 않은 페트리 접시의 강낭콩은 싹이 트지 않은 것을 보
고 씨가 싹 트는 데 물이 필요하다는 것을 알 수 있습니다.

　채점 TIP 씨가 싹 트려면 적당한 양의 물이 필요하다는 내용을 썼
으면 정답으로 합니다.

3 문제에서 주어진 사진은 싹이 튼 강낭콩의
속 모양으로, 뿌리가 있으며, 잎은 싱싱하
고 색깔은 노랗습니다. 씨가 싹 트려면 적
당한 물과 적당한 온도가 필요하므로, ㉠
탈지면에 물을 주고 창가에 둔 페트리 접
시의 강낭콩만 싹이 틉니다. ㉡의 경우 물을 주지 않았으므
로 강낭콩이 싹 트지 않고, ㉢의 경우 냉장고에 넣어 두어 온
도가 적당하지 않으므로 강낭콩이 싹 트지 않습니다.

잎　뿌리

4 씨가 싹 트려면 적당한 온도가 유지되어야 하기 때문에 냉
장고나 지하 동굴 저장소에 씨를 보관하면 온도가 낮아 씨
가 싹 트기 어려우므로 씨를 오랫동안 보관할 수 있습니다.

5 식물의 한살이를 관찰할 때에는 봉숭아, 나팔꽃, 강낭콩, 토
마토 등과 같이 한살이 기간이 짧고 크기가 적당하며 잎, 줄
기, 꽃, 열매 등을 관찰하기 쉬운 식물을 선택하는 것이 좋
습니다. 소나무와 감나무는 한살이 기간이 길고 크기가 커
한살이를 관찰하기에 적당하지 않습니다.

6 식물 관찰 계획서에는 관찰자, 관찰할 식물뿐만 아니라 씨
를 심을 날짜와 심을 곳, 어떻게 기를 것인지 등을 자세하게
씁니다. 토마토를 기르면서 한살이를 관찰하기 위해서는 적
당한 온도를 유지하고 햇빛을 받을 수 있는 화단이 적당합
니다.

7 화분에 물을 주었을 때 흙이 화분 바닥의 구멍을 막지 않고
물이 잘 빠져나가게 하기 위해서 화분 바닥에 그물망과 작
은 돌을 놓아 구멍을 막습니다.

8 강낭콩이 물을 흡수하여 부풀면 뿌리가 가장 먼저 나오고
씨껍질이 벗겨지면서 두 장의 떡잎이 나오며, 떡잎 사이로
본잎이 나와 자랍니다.

9 옥수수는 떡잎싸개가 본잎을 둘러싸고 있어 본잎을 보호하면
서 흙을 뚫고 자랍니다. 떡잎싸개가 만들어 주는 통로를 통해
서 본잎은 안전하게 위로 자랄 수 있습니다. 강낭콩은 싹 틀
때 떡잎싸개 대신 두 장의 떡잎이 본잎보다 먼저 나옵니다.

본잎 — | 본잎 — 떡잎 —
— 떡잎싸개

▲ 옥수수가 싹 튼 모습　　　　▲ 강낭콩이 싹 튼 모습

10 강낭콩이 자랄수록 잎이 점점 넓어지고 개수도 많아집니다.
잎이 자란 정도를 측정하기 위해 잎의 길이를 잴 때에는 잎
이 줄기에 붙어 있는 부분인 잎자루에서부터 잎의 끝부분까
지를 자로 잽니다.

　채점 TIP (1) ㉡을 옳게 쓰고, (2) 잎이 줄기에 붙어 있는 부분부터
잎의 끝부분까지 자로 잰다는 내용을 썼으면 정답으로 합니다.

11 식물이 자랄수록 줄기가 굵어지고 길어지므로 일정한 간격으
로 선을 그어 놓으면 선 사이의 간격이 처음보다 벌어집니다.

12 식물이 자라는 데 햇빛이 필요하므로, 햇빛을 받지 못한 강
낭콩은 잘 자라지 못합니다. 강낭콩이 심어져 있는 화분을
햇빛이 잘 드는 곳으로 옮기고 적당한 양의 물을 주면 강낭
콩이 잘 자랄 수 있습니다.

　채점 TIP 강낭콩 화분이 햇빛을 잘 받을 수 있는 방법을 알맞게 썼
으면 정답으로 합니다.

13 식물은 자라는 데 적당한 양의 물이 필요하기 때문에 물이
부족하면 잎과 줄기가 시들어 축 늘어집니다.

14 식물이 잘 자라기 위해서는 적당한 온도가 필요합니다.
6 ℃, 15 ℃와 같이 온도가 낮거나 45 ℃와 같이 온도가 높
을 때 봉숭아가 잘 자라지 못했고, 온도가 30 ℃일 때 봉숭
아가 가장 잘 자랐기 때문에 실험 결과표를 보고 식물이 자
라는 데 적당한 온도가 중요하다는 것을 알 수 있습니다.

---- **내용 플러스** ----

식물 생장과 온도

식물이 잘 자라기 위해서는 온도가 적당해야 하며, 적당한 온도
는 식물의 종류에 따라 다르지만, 일반적으로 온도가 너무 낮거
나 높으면 식물은 잘 자라지 못합니다. 그러나 북극이나 남극,
높은 산에 사는 식물은 0 ℃ 혹은 0 ℃ 이하에서도 잘 자라며, 사
막, 열대 우림 등에 사는 식물은 높은 온도에서도 잘 자랍니다.

15 꽃이 지고 나면 열매인 꼬투리가 생겨 자랍니다. 꼬투리는 가늘고 길쭉한 모양이고, 그 속에는 새로운 강낭콩이 들어 있습니다. 어린 꼬투리는 초록색이지만, 좀 더 커져 성숙하면 황색, 황갈색 등으로 색깔이 변합니다.

16 강낭콩의 꽃이 피고 열매를 맺는 과정: (라) 꽃봉오리가 생깁니다. → (가) 점점 활짝 피는 꽃이 많아집니다. → (다) 꽃이 지고 나면 열매인 꼬투리가 생깁니다. → (나) 꼬투리가 자라면서 그 안에 새로운 강낭콩이 자랍니다.

17 식물은 자라면서 꽃이 피고 열매를 맺어 새로운 씨를 만들어 씨를 널리 퍼뜨립니다. 멀리 퍼진 씨는 새로운 곳에서 다시 싹이 터서 자랍니다. 즉, 식물은 번식하기 위해 열매를 맺어 씨를 퍼뜨립니다.

18 한해살이 식물은 한 해 동안 한살이를 거치고 일생을 마치는 식물이고, 여러해살이 식물은 한살이 과정을 여러 해 동안 반복하는 식물로, 한살이 기간에 따라 분류한 것입니다. 해바라기와 코스모스는 한해살이 식물이고, 목련과 진달래는 여러해살이 식물입니다.

19 벼의 잎과 줄기가 자라면서 약 45일 후에 벼꽃이 피는 모습을 볼 수 있습니다. 꽃이 핀 후 약 30일 후에 열매를 맺어 새로운 씨를 만듭니다.

| 볍씨 | 싹이 튼다. | 잎과 줄기가 자란다. |

| 꽃이 핀다. | 열매를 맺어 씨를 만든다. |

20 여러해살이 식물인 비비추는 봄에 씨가 싹 터서 자라 여름에 꽃을 피우고 열매를 맺으며 겨울에 땅의 윗부분은 시들어 죽지만 땅속줄기가 살아남아 이듬해 봄에 새순이 돋아납니다. 무궁화도 겨울에 죽지 않고 살아남아 이듬해에 새순이 돋아나며 한살이를 반복합니다.

> **채점 TIP** 비비추와 무궁화가 겨울에 죽지 않고 살아남아 이듬해에 한살이를 반복한다는 내용을 썼으면 정답으로 합니다.

 **서술형 문제** 56~57쪽

1 예 나팔꽃과 토마토는 한살이 기간이 짧기 때문입니다. 잎, 줄기, 꽃, 열매 등을 관찰하기 쉽기 때문입니다. **2** (1) ⓒ (2) 예 씨가 싹 트려면 적당한 양의 물이 필요하기 때문에 싹 튼 강낭콩이 있는 ⓒ 페트리 접시에 물을 준 것입니다. **3** 예 강낭콩과 옥수수는 싹 트고 ㉠ 단계에서 가장 먼저 뿌리가 나옵니다. ㉡ 단계에서 강낭콩은 떡잎이 나오고, 옥수수는 떡잎싸개가 나옵니다. **4** (1) 예 물의 조건만 다르게 하고 나머지 조건은 모두 같아야 하므로 ㉠ 화분과 ⓒ 화분을 비교합니다. (2) 예 햇빛의 조건만 다르게 하고 나머지 조건은 모두 같아야 하므로 ㉠ 화분과 ⓒ 화분을 비교합니다. **5** (1) 떡잎싸개 (2) 예 떡잎싸개는 본잎을 둘러싸서 밖으로 나오는 본잎을 보호해 줍니다. **6** 예 민들레는 여러해살이 식물로 겨울에 죽지 않고 살아남아 이듬해에 한살이를 반복하기 때문입니다. **7** 예 감나무는 여러해살이 식물이기 때문에 겨울에 죽지 않고 살아남아 한살이를 반복하므로, 나뭇가지에서 새순이 나오는 모습이 들어가야 합니다. **8** 예 밀은 한해살이 식물이기 때문에 줄기까지 베어 내고 다시 씨를 심어야 하지만, 사과나무는 여러해살이 식물이기 때문에 이듬해에 다시 열매를 맺으므로 줄기를 베어 내지 않고 열매만 땁니다.

1 식물의 한살이를 관찰할 때에는 나팔꽃, 토마토, 강낭콩, 봉숭아 등과 같이 한살이 기간이 짧고 크기가 적당하며 잎, 줄기, 꽃, 열매 등을 관찰하기 쉬운 식물을 선택하는 것이 좋습니다. 또한 쉽게 구할 수 있으며 관리가 편하고 기르기 쉬워야 합니다.

채점 기준

| 상 | 한살이 기간이 짧고 잎, 줄기, 꽃, 열매 등을 관찰하기 쉬운 식물이라는 내용 등의 조건 두 가지를 모두 옳게 쓴 경우 |
| 하 | 한살이를 관찰하기에 좋은 조건 중 한 가지만 옳게 쓴 경우 |

2 씨가 싹 트는 데 물이 미치는 영향을 알아보는 실험으로, 페트리 접시, 탈지면, 강낭콩, 온도 등의 조건은 같게 하고, 물의 양만 다르게 하였습니다. 탈지면 위에 강낭콩을 놓을 때에는 하얀색 배꼽 부분이 물에 닿도록 두어야 합니다. 강낭콩이 싹 트려면 적당한 양의 물이 필요하므로, 물을 준 페트리 접시는 강낭콩이 싹 튼 ⓒ입니다. ㉠ 페트리 접시에는 물을 주지 않았으므로 강낭콩이 싹 트지 않았습니다.

채점 기준

상	(1) ⓒ을 옳게 쓰고, (2) 씨가 싹 트려면 물이 필요하기 때문에 강낭콩이 싹 튼 ⓒ 페트리 접시에 물을 준 것이라는 내용을 쓴 경우
중	(1) ⓒ을 옳게 썼으나, (2) ⓒ 페트리 접시의 강낭콩이 싹 텄기 때문이라고만 쓴 경우
하	(1) ⓒ만 옳게 쓴 경우

3 강낭콩과 옥수수는 씨가 부풀고 가장 먼저 뿌리가 나옵니다. 강낭콩은 씨껍질이 벗겨지면서 땅 위로 두 장의 떡잎이 나오고 떡잎 사이에서 본잎이 나오지만, 옥수수는 떡잎싸개가 나옵니다. 떡잎싸개가 만들어 주는 통로를 통해 본잎이 위로 자랍니다.

채점 기준

상	㉠에서는 공통적으로 뿌리가 먼저 나오고, ㉡에서는 강낭콩은 떡잎이 나오고 옥수수는 떡잎싸개가 나온다고 쓴 경우
하	㉠에서는 뿌리가 나온다고 썼으나, ㉡에서 강낭콩은 떡잎이 나오지만 옥수수는 떡잎이 아니라는 내용으로 쓴 경우

4 (1) 식물이 자라는 데 물이 미치는 영향을 알아보기 위해서는 물의 조건만 다르게 하고, 나머지 조건은 모두 같게 해야 하므로, ㉠ 화분과 ㉡ 화분을 비교합니다.
(2) 식물이 자라는 데 햇빛이 미치는 영향을 알아보기 위해서는 햇빛의 조건만 다르게 하고, 나머지 조건은 모두 같게 해야 하므로, ㉠ 화분과 ㉢ 화분을 비교합니다.

채점 기준

상	(1) 물의 조건만 다르게 해야 하므로 ㉠ 화분과 ㉡ 화분을 비교한다고 쓰고, (2) 햇빛의 조건만 다르게 해야 하므로 ㉠ 화분과 ㉢ 화분을 비교한다는 내용을 쓴 경우
중	(1) ㉠ 화분과 ㉡ 화분을, (2) ㉠ 화분과 ㉢ 화분을 비교한다는 내용만 쓴 경우
하	(1)과 (2) 중 한 가지만 옳게 쓴 경우

5 볍씨가 싹 틀 때 떡잎싸개에 싸여 본잎이 나옵니다. 떡잎싸개는 본잎을 보호하면서 흙을 뚫고 자랍니다. 떡잎싸개가 만들어 주는 통로를 통해서 본잎은 안전하게 흙을 뚫고 나와 자랍니다.

채점 기준

상	(1) 떡잎싸개를 옳게 쓰고, (2) 떡잎싸개가 본잎을 둘러싸 밖으로 나오는 본잎을 보호해 준다는 내용을 쓴 경우
하	(1) 떡잎싸개만 옳게 쓴 경우

6 민들레는 여러해살이 식물로, 가을까지 자랐던 시든 뿌리잎의 모습으로 겨울 추위를 이겨 내고, 이듬해에 새순이 나오고 꽃을 피우며 열매 맺는 것을 반복합니다.

채점 기준

상	여러해살이 식물이리서 겨울에 죽지 않고 이듬해에 한살이를 반복한다는 내용을 쓴 경우
중	여러해살이 식물이기 때문이라고만 쓴 경우
하	한살이를 반복하기 때문이라고만 쓴 경우

7 여러해살이 식물인 감나무는 겨울에 죽지 않고 살아남으며, 이듬해 봄에 나뭇가지에서 새순이 나와 한살이 과정을 반복합니다.

채점 기준

상	여러해살이 식물이기 때문에 겨울에 죽지 않고 살아남아 새순이 나오는 모습으로 한살이를 반복한다는 내용을 쓴 경우
중	여러해살이 식물이라 새순이 나오는 모습이라고 쓴 경우
하	새순이 나오는 모습이라는 내용만 쓴 경우

8 밀은 한해살이 식물이므로 키울 때마다 다시 씨를 뿌려야 하지만, 사과나무는 여러해살이 식물이므로 이듬해에 다시 꽃이 피고 새로운 열매를 맺습니다.

채점 기준

상	밀은 한해살이 식물이기 때문에 줄기를 베어 내고 다시 씨를 뿌려야 하고, 사과나무는 여러해살이 식물이기 때문에 줄기를 베어 내지 않고 열매만 딴다는 내용을 쓴 경우
하	밀은 매년 다시 씨를 뿌려야 하고, 사과나무는 이듬해에 다시 새로운 열매를 맺기 때문이라고만 쓴 경우

4 물체의 무게

1 수평 잡기의 원리

66쪽

탐구 문제

1 ㉣   2 ㉡

1 무게가 같은 두 물체로 수평을 잡을 때에는 나무판자의 받침점으로부터 양쪽으로 같은 거리에 두 물체를 올려 수평을 잡습니다. 문제에서 왼쪽 ④번 칸에 나무토막 한 개를 올렸으므로 무게가 같은 나무토막 한 개를 오른쪽 ④번 칸에 올리면 나무판자의 수평을 잡을 수 있습니다.

2 무게가 다른 두 물체로 수평을 잡을 때에는 무거운 물체를 가벼운 물체보다 나무판자의 받침점에서 가까운 쪽에 올려 수평을 잡습니다. 문제에서 나무판자가 나무토막 두 개를 올려놓은 왼쪽으로 기울어졌으므로 나무토막 한 개를 받침점에서 먼 방향, 즉 ㉡ 방향으로 움직이면 나무판자의 수평을 잡을 수 있습니다.

확인 문제 67쪽

1 ②, ⑤   2 ③, 받침점
3 ㉠＞㉡＞㉢   4 (1) ㉠ (2) ㉢
5 ㉠, 수평 조절 장치   6 필통

1 마트에서 고기의 무게에 따라 가격을 정하기 위해 고기의 무게를 측정합니다. 운동선수는 운동 경기를 하기 전 체급을 나누기 위해 몸무게를 측정합니다.

┌─ **내용 플러스** ─┐
저울을 사용해 물체의 무게를 정확하게 측정하는 예
• 상품의 무게에 따라 가격을 다르게 정할 때
• 태권도나 유도 등과 같은 운동 경기에서 선수들의 몸무게에 따라 체급을 나눌 때
• 정해진 무게의 음식 재료를 사용해 요리를 할 때
• 정확한 실험 결과를 얻기 위해 실험에 필요한 약품의 무게를 측정할 때
• 화물차가 싣고 있는 짐의 무게를 측정할 때
└────────────┘

2 굵기와 모양이 일정한 물체는 가운데를 받쳤을 때 수평이 되며, 이때 받침대가 물체를 받치고 있는 점을 받침점이라고 합니다.

3 받침점으로부터 같은 거리에 ㉠과 ㉡을 올렸을 때 나무판자가 ㉠쪽으로 기울어졌으므로 ㉠이 ㉡보다 무겁습니다. ㉡과 ㉢을 올린 나무판자가 수평이 되었을 때 ㉡이 ㉢보다 받침점에 더 가까이 있으므로 ㉡이 ㉢보다 무겁습니다. 따라서 ㉠, ㉡, ㉢ 순서로 무겁습니다.

4 몸무게가 다른 두 사람이 탄 시소를 수평이 되게 하려면 몸무게가 가벼운 사람이 받침점에서 더 먼 자리에 앉고, 무거운 사람은 받침점에 더 가까운 자리에 앉습니다. 지아는 몸무게가 가볍고 윤후는 지아보다 몸무게가 무거우므로, 지아는 받침점에서 더 먼 ㉠ 자리에 앉고 윤후는 받침점에 더 가까운 ㉢ 자리에 앉아 시소의 수평을 잡을 수 있습니다.

5 양팔저울의 저울대가 기울어졌을 때는 수평 조절 장치(㉠)를 저울대가 올라간 쪽으로 조금씩 밀면서 수평을 맞춘 후 사용합니다. ㉡은 받침점, ㉢은 저울대, ㉣은 저울접시, ㉤은 받침대입니다. 저울대는 저울접시를 거는 긴 막대이고, 저울접시는 무게를 비교할 물체를 올리는 접시입니다. 받침대는 저울대를 걸 수 있도록 세운 막대입니다.

6 양팔저울로 두 물체의 무게를 비교할 때, 받침점으로부터 양쪽으로 같은 거리에 있는 저울접시에 물체를 각각 올리면 저울대가 무거운 물체 쪽으로 기울어집니다. 저울대가 필통을 올린 저울접시 쪽으로 기울어졌으므로 필통이 풀보다 무겁습니다.

2 용수철저울

70쪽

탐구 문제

1 28   2 150

1 용수철에 무게가 30 g중인 추를 한 개 매달 때마다 용수철의 길이가 28 mm씩 일정하게 늘어났습니다.

2 무게가 40 g중인 추를 한 개씩 더 매달 때마다 용수철이 30 mm씩 늘어나므로, 40 g중인 추 5개를 매달면 용수철이 30 mm × 5개 = 150 mm가 늘어납니다.

┌─ **내용 플러스** ─┐
추의 무게와 용수철이 늘어난 길이의 관계

용수철에 매단 추의 무게가 2배, 3배……가 되면 용수철이 늘어난 길이도 2배, 3배……가 됩니다.

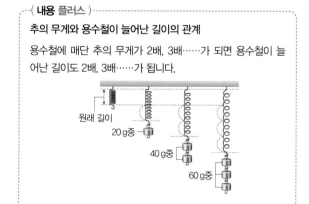

원래 길이
20 g중
40 g중
60 g중
└────────────┘

1 민주	**2** (1) 무게 (2) 예 g중, kg중, N
3 140	**4** (1) ㉡ (2) 영점 조절 나사
5 40 g중	**6** 윤하

1 용수철 끝을 아래로 당기면 용수철의 길이가 늘어나고, 놓으면 다시 원래 길이로 되돌아갑니다. 용수철을 더 길게 늘이려면 용수철 끝을 더 세게 당겨야 합니다.

약하게 당길 때 / 세게 당길 때

2 무게는 지구가 끌어당기는 힘의 크기를 의미합니다. 무게를 나타내는 단위에는 g중(그램중), kg중(킬로그램중), N(뉴턴) 등이 있습니다.

3 용수철에 매단 추의 무게가 20 g중씩 일정하게 늘어날 때 용수철이 늘어난 길이는 16 mm씩 일정하게 늘어납니다. 용수철에 가위를 걸었을 때 용수철이 늘어난 길이가 112 mm가 되는데, 112 mm는 16 mm의 7배이므로, 가위의 무게는 20 g중 추 7개의 무게와 같은 140 g중입니다.

4 물체의 무게를 측정하기 전에 표시자를 눈금 '0'의 위치에 오도록 영점 조절 나사(㉡)를 돌려 영점을 잘 맞춰야 물체의 정확한 무게를 측정할 수 있습니다. ㉠은 손잡이로, 용수철저울을 잡거나 스탠드에 거는 부분입니다. ㉢은 눈금으로, 용수철저울에 물체를 걸었을 때 표시자가 가리키는 부분입니다. ㉣은 고리로, 무게를 측정할 추나 물체를 거는 부분입니다.

5 용수철저울에 건 물체의 무게를 측정할 때는 표시자가 움직임을 멈춘 후, 표시자가 가리키는 눈금의 숫자를 단위와 같이 읽습니다.

6 표시자의 움직임이 멈추면 표시자와 눈높이를 맞추고 눈금을 읽습니다.

---

1 저울	**2** (2) ◯	**3** ㉠ 무거운 ㉡ 가벼운

4 ㉮, 예 두 사람이 받침점으로부터 양쪽으로 같은 거리에 각각 앉았을 때 시소가 수평이 되었으므로 두 사람은 몸무게가 같습니다.   **5** (1) 태희 (2) 예진   **6** 수민
7 야구공>테니스공>탁구공
8 풀>지우개>연필   **9** ③, ④   **10** 수평 잡기
11 ㉢   **12** ㉢   **13** ②   **14** ⑤
15 200   **16** ④   **17** (1) 500 g중 (2) 예 용수철저울의 최대 눈금이 5000이고, 단위가 g중이기 때문입니다.
18 (1) 240 g중 (2) 20 g중   **19** 가위   **20** 아영

---

1 물체를 들어 보면 어느 물체가 더 무거운지 짐작할 수 있습니다. 그러나 두 물체의 무게가 얼마인지 정확하게 알 수 없기 때문에 사람들은 저울을 사용해 물체의 무게를 정확하게 측정합니다.

2 받침점으로부터 양쪽으로 같은 거리에 사과와 감을 올려놓았을 때 나무판자가 사과 쪽으로 기울어졌으므로 사과가 감보다 무겁습니다. 나무판자의 수평을 잡기 위해서는 무거운 사과를 감보다 받침점에 가깝게 놓아야 합니다. (3) 사과와 감을 각각 받침점에 가깝게 한 칸씩 이동해도 받침점으로부터 양쪽으로 같은 거리에 사과와 감이 있으므로, 나무판자는 사과 쪽으로 기울어집니다.

3 받침점이 나무판자의 가운데 있는 경우에 무게가 다른 물체로 나무판자의 수평을 잡으려면 무거운 물체를 가벼운 물체보다 받침점에 더 가까이 놓습니다.

4 두 사람의 몸무게가 같은 경우에는 두 사람이 시소의 받침점으로부터 양쪽으로 같은 거리에 앉을 때 수평을 잡을 수 있습니다. 두 사람의 몸무게가 다른 경우에는 무거운 사람이 가벼운 사람보다 시소의 받침점에서 가까운 쪽에 앉을 때 수평을 잡을 수 있습니다.

채점 TIP ㉮를 옳게 쓰고, 두 사람이 받침점으로부터 양쪽으로 같은 거리에 앉았을 때 시소가 수평이 되었기 때문이라는 내용을 썼으면 정답으로 합니다.

5 ㉮에서 은우와 준호가 받침점으로부터 같은 거리에 앉았을 때 시소가 수평이 되었으므로 은우와 준호는 몸무게가 같습니다. ㉯에서 준호가 예진이보다 받침점으로부터 더 가까운 곳에 앉았을 때 시소가 수평이 되었으므로 준호가 예진이보다 몸무게가 무겁습니다. ㉰에서 태희가 은우보다 받침점으로부터 더 가까운 곳에 앉았을 때 시소가 수평이 되었으므로 태희가 은우보다 무겁습니다. 따라서 태희>은우=준호>예진 순서로 몸무게가 무겁습니다.

6 ㉠은 수평 조절 장치로, 저울대의 수평을 맞추는 장치입니다. ㉡은 저울대를 걸 수 있도록 세운 받침대입니다. ㉢과 ㉣은 저울접시입니다. 그림의 저울접시는 받침점으로부터 양쪽으로 같은 거리에 있으며, 저울접시에 무게를 비교할 물체를 올립니다.

7 야구공과 테니스공을 저울접시에 올리고 무게를 비교할 때 저울대가 야구공 쪽으로 기울어졌으므로 야구공이 테니스공보다 무겁습니다. 탁구공과 테니스공을 저울접시에 올리고 무게를 비교할 때 저울대가 테니스공 쪽으로 기울어졌으므로 테니스공이 탁구공보다 무겁습니다. 따라서 야구공>테니스공>탁구공 순서로 무겁습니다.

8 양팔저울이 수평이 되었을 때 저울접시에 올린 클립의 개수가 많을수록 물체의 무게가 무겁습니다. 풀이 클립 40개의 무게와 같으므로 가장 무겁고, 연필이 클립 12개의 무게와 같으므로 가장 가볍습니다.

9 똑같은 단추, 같은 금액의 동전처럼 무게가 일정하고 무게를 비교하는 물체보다 가벼우며 저울접시에 여러 개 올릴 수 있도록 크기가 알맞은 물체를 클립 대신 사용할 수 있습니다.

---(**내용 플러스**)---

기준 물체
- 클립과 같이 양팔저울, 윗접시저울, 용수철저울 등으로 물체의 무게를 비교할 때 사용하는 물체입니다.
- 각각의 기준 물체는 무게가 일정해야 하고, 기준 물체 한 개의 무게는 측정하려는 물체의 무게보다 가벼워야 하며, 크기가 적당히 작아야 합니다.
- 기준 물체로 적합한 것에는 클립, 똑같은 단추, 100원짜리 동전과 같이 금액이 같은 동전, 무게가 같은 핀, 무게가 같은 못 등이 있습니다.

10 윗접시저울은 양팔저울과 같이 수평 잡기의 원리를 이용하는 저울입니다. 받침점에서 같은 거리에 물체를 올릴 수 있는 접시가 있고, 가운데에 바늘이 있습니다.

---(**내용 플러스**)---

윗접시저울

- 윗접시저울의 가운데에는 수평이 잡혔는지 확인할 수 있는 바늘이 있고, 받침점으로부터 같은 거리에 있는 접시는 위아래로 움직입니다.
- 윗접시저울에는 무게를 나타내는 눈금이 없으며, 무게를 알고 있는 분동을 이용하여 물체의 무게를 측정합니다.
- 윗접시저울을 사용하여 물체의 무게 측정하기: 윗접시저울을 평평한 곳에 놓습니다. → 윗접시저울의 바늘이 중심을 가리키는지 확인하고, 영점 조절 나사를 돌려 영점을 맞춥니다. → 한쪽 접시에 무게를 재고자 하는 물체를 올려놓습니다. → 다른 쪽 접시에 분동을 올리고 내리면서 수평을 잡습니다. → 저울이 수평이 되었을 때 접시에 올려놓은 분동의 무게를 모두 합해 물체의 무게를 측정합니다.

11 무게는 지구가 물체를 끌어당기는 힘의 크기를 나타냅니다. 지구는 가벼운 물체보다 무거운 물체를 더 세게 끌어당기기 때문에 가벼운 물체보다 무거운 물체를 들 때 더 큰 힘이 필요합니다. 무게는 숫자와 g중, kg중, N 등의 단위를 함께 나타냅니다.

12 용수철에 매단 추의 무게가 무거울수록 지구가 추를 세게 끌어당기기 때문에 용수철의 길이가 더 많이 늘어납니다. 용수철의 두께, 길이 등에 따라 그 용수철이 견딜 수 있는 힘의 크기가 다릅니다. 용수철이 견딜 수 있는 힘보다 센 힘으로 당기면 용수철의 모양이 변형되어 다시 처음의 모습으로 돌아가지 못합니다.

13 가정용 저울은 무게를 알고자 하는 물체를 저울접시에 올리면 무게에 따라 저울 속 용수철의 길이가 변합니다. 용수철의 길이가 변하면서 움직이는 바늘이 가리키는 눈금을 읽어 물체의 무게를 알 수 있습니다.

14 용수철은 당기면 길이가 늘어나고, 놓으면 원래의 길이로 되돌아가는 성질이 있습니다. 용수철은 더 세게 당기면 더 길게 늘어나기 때문에 가장 길게 늘어난 경우가 가장 세게 용수철을 아래로 당긴 것입니다.

15 용수철에 매단 추의 무게가 100 g중씩 늘어날 때마다 용수철의 길이는 눈금 한 칸씩 더 늘어났으므로 눈금 한 칸은 100 g중을 나타냅니다. 이 용수철에 우유를 매달았을 때 눈금이 두 칸 늘어났으므로, 우유의 무게는 200 g중입니다.

16 용수철저울의 고리에 물체를 매달면 물체의 무게에 따라 용수철의 길이가 늘어나고, 그 길이를 확인하여 물체의 무게를 측정할 수 있습니다. 표시자가 위아래로 흔들리다가 움직임을 멈추었을 때 표시자가 가리키는 눈금이 용수철저울의 고리에 매단 물체의 무게입니다.

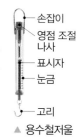
- 손잡이
- 영점 조절 나사
- 표시자
- 눈금
- 고리

▲ 용수철저울

17 용수철저울마다 측정할 수 있는 무게가 다릅니다. 용수철저울의 눈금에 최대로 표시되어 있는 눈금이 그 용수철저울로 측정할 수 있는 무게의 최대 범위입니다.

채점 TIP (1) 500 g중이라고 쓰고, (2) 용수철저울의 최대 눈금이 500이고, 단위는 g중이기 때문이라는 내용을 썼으면 정답으로 합니다.

---(**내용 플러스**)---

용수철저울로 측정할 수 있는 무게 범위

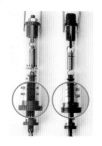

용수철저울은 속에 들어 있는 용수철에 따라 최대로 측정할 수 있는 무게가 정해져 있습니다. 용수철저울의 최대 측정 무게에 비하여 너무 가벼운 물체를 매달면 용수철이 거의 늘어나지 않아서 눈금의 변화 정도가 매우 작기 때문에 정확한 무게를 측정하기 어렵습니다. 용수철저울의 최대 측정 무게에 비하여 너무 무거운 물체를 매달면 용수철이 너무 많이 늘어나 무게를 측정할 수 없습니다. 따라서 무게를 측정하고자 하는 물체의 무게에 알맞은 용수철저울을 사용해야 합니다.

18 (1) 가위를 용수철저울의 고리에 매달았을 때 표시자가 눈금 240을 가리키고 있고 단위는 g중이므로 가위의 무게는 240 g중입니다. (2) 풀을 매달았을 때 표시자가 눈금 20을 가리키고 있고 단위는 g중이므로 풀의 무게는 20 g중입니다.

19 용수철저울에 들어 있는 용수철은 용수철저울에 매단 물체의 무게가 무거울수록 더 많이 늘어납니다. 가위의 무게는 240 g중, 풀의 무게는 20 g중으로 가위를 매달았을 때 용수철이 더 많이 늘어납니다.

20 용수철저울의 고리에 걸 수 있는 가위는 영점 조절 나사로 영점을 맞춘 후, 가위를 고리에 걸고 용수철이 늘어난 길이만큼 움직인 표시자가 가리키는 눈금을 읽어 무게를 측정합니다. 풀은 용수철저울의 고리에 걸 수 없기 때문에 펀치로 구멍을 뚫은 지퍼 백 등을 고리에 걸고 영점을 맞춘 다음, 지퍼 백에 풀을 넣고 무게를 측정합니다.

---(**내용 플러스**)---

용수철저울로 물체의 무게를 측정하는 방법
❶ 용수철저울을 수직으로 세워 잡거나 스탠드에 겁니다.
❷ 영점 조절 나사를 돌려 표시자를 눈금 '0'의 위치에 오도록 조절합니다.
❸ 고리에 물체를 겁니다.
❹ 표시자와 눈높이를 수평으로 맞춘 뒤 눈금의 숫자를 단위와 같이 읽습니다.

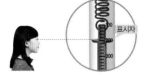

 **서술형 문제**

76~77쪽

1 (1) ㉠ (2) ⑩ 배를 받침점에 더 가깝게 이동합니다. **2** ⑤, ⑩ 수빈이가 아버지보다 몸무게가 가볍기 때문에 받침점에서 더 멀리 앉아야 시소의 수평을 잡을 수 있기 때문입니다. **3** ⑩ 수평 잡기의 원리를 이용해 양팔저울을 만든 것입니다. **4** ⑩ 양팔저울의 한쪽 저울접시에 물체를 하나 올리고, 다른 쪽 저울접시에 클립을 올려 양팔저울이 수평이 될 때의 클립의 개수를 셉니다. 각 물체의 무게에 해당하는 클립의 총 개수를 비교하여 물체의 무게를 비교합니다. **5** ⑩ 무게가 가벼운 추를 매달았을 때보다 무거운 추를 매달았을 때 용수철이 더 길게 늘어납니다. **6** (1) 46 (2) ⑩ 추의 무게가 40 g중씩 늘어날 때마다 용수철이 23 mm씩 늘어나기 때문에 추의 무게가 80 g중일 때 용수철이 늘어난 길이는 46 mm가 됩니다. **7** ⑩ 용수철저울로 물체의 무게를 측정하기 전에 영점 조절 나사를 돌려 표시자를 눈금 '0'의 위치에 오도록 조절해야 합니다. **8** ㉡, ⑩ 물체의 무게에 따라 일정하게 늘어나거나 줄어드는 용수철이 성질을 이용합니다.

1 (1) 어느 한쪽으로 기울어지지 않고 평평한 상태를 수평이라고 합니다. ㉠은 나무판자가 배 쪽으로 기울어졌으므로 수평이 아닙니다. (2) 받침점으로부터 양쪽으로 같은 거리에 두 물체를 올렸을 때 기울어진 쪽에 있는 물체가 더 무거운 물체입니다. 나무판자의 수평을 잡기 위해서는 무거운 물체를 가벼운 물체보다 받침점에 더 가깝게 해야 합니다.

채점 기준

상	(1) ㉠을 옳게 쓰고, (2) 배를 받침점에 더 가깝게 이동한다고 과일을 구체적으로 쓴 경우
중	(1) ㉠은 옳게 썼으나, (2) 배를 이동한다고만 쓴 경우
하	(1) ㉠만 옳게 쓴 경우

---(**내용 플러스**)---

수평 잡기를 이용하여 물체의 무게 비교하기
• 받침점이 나무판자의 가운데 있는 경우

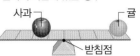

➡ 수평을 이루었지만 사과가 귤보다 받침점에 더 가까이 있으므로 사과가 귤보다 무겁습니다.

➡ 나무판자가 배 쪽으로 기울어졌으므로 배가 사과보다 무겁습니다.

• 받침점이 나무판자의 가운데 있지 않은 경우

➡ 나무판자가 수평을 이루었지만 받침점이 사과 가까이에 놓여 있으므로 사과가 귤보다 무겁습니다.

2 몸무게가 비슷한 두 사람은 시소의 받침점으로부터 양쪽으로 같은 거리에 앉으면 시소의 수평을 잡을 수 있지만, 몸무게가 다른 두 사람은 무거운 사람이 가벼운 사람보다 시소의 받침점에서 가까운 쪽에 앉아야 수평을 잡을 수 있습니다. 수빈이는 아버지보다 몸무게가 가벼우므로, 아버지보다 받침점에서 더 멀리 앉아야 시소의 수평을 잡을 수 있습니다.

채점 기준

상	⑤를 옳게 쓰고, 수빈이의 몸무게가 더 가볍기 때문에 아버지보다 받침점으로부터 더 멀리 앉아야 한다고 쓴 경우
중	⑤는 옳게 썼으나, 수빈이가 더 가볍기 때문이라고만 쓴 경우
하	⑤만 옳게 쓴 경우

3 받침점으로부터 양쪽으로 같은 거리에 있는 상자에 각각의 물체를 넣었을 때 저울대인 플라스틱 자가 기울어진 방향을 보고 어느 쪽의 상자에 넣은 물체가 더 무거운지 비교하는 양팔저울입니다.

채점 기준

상	수평 잡기의 원리를 이용하는 양팔저울이라는 내용을 쓴 경우
하	수평 잡기의 원리를 이용하는 저울이라고만 쓴 경우

4 양팔저울의 받침점으로부터 같은 거리에 있는 한쪽 저울접시에 물체를 올리고, 저울대가 수평이 될 때까지 다른 쪽 저울접시에 클립을 올립니다. 저울대가 수평이 되었을 때 클립의 개수를 세어 물체의 무게를 비교합니다. 무게가 일정한 물체의 총 개수가 많을수록 더 무거운 물체입니다.

채점 기준

상	한쪽 저울접시에 물체를, 다른 쪽 저울접시에 클립을 올려 양팔저울이 수평이 되었을 때 클립의 개수를 세고, 물체별 클립의 총 개수를 비교한다는 내용을 쓴 경우
하	클립의 개수를 비교한다고만 쓴 경우

5 용수철을 약하게 당기거나 가벼운 추를 매달았을 때보다 용수철을 세게 당기거나 무거운 추를 매달았을 때 용수철이 더 길게 늘어납니다.

채점 기준

상	• 무게가 가벼운 추보다 무게가 무거운 추를 매달았을 때 용수철이 더 길게 늘어난다는 내용을 쓴 경우 • 무게가 무거운 추보다 무게가 가벼운 추를 매달았을 때 용수철이 적게 늘어난다는 내용을 쓴 경우
하	무게에 따라 용수철이 늘어나는 길이가 다르다고만 쓴 경우

6 용수철에 매단 추의 무게가 일정하게 늘어나면 용수철의 길이도 일정하게 늘어납니다. 주어진 자료에서 추의 무게가 40 g중 늘어날 때 용수철의 길이가 23 mm 늘어났으므로, 추의 무게가 40 g중, 80 g중, 120 g중, 160 g중으로 늘어날 때 용수철이 늘어난 길이는 23 mm, 46 mm, 69 mm, 92 mm가 됩니다.

채점 기준

상	(1) 46을 옳게 쓰고, (2) 추의 무게가 40 g중 늘어날 때마다 용수철의 길이가 23 mm씩 늘어나기 때문에 ㉠이 46 mm가 된다는 내용을 쓴 경우
중	(1) 46을 옳게 썼으나, (2) 추의 무게가 일정하게 늘어날 때 용수철이 늘어난 길이가 23 mm씩 늘어나기 때문이라고만 쓴 경우
하	(1) 46만 옳게 쓴 경우

7 물체의 무게를 측정하기 전에 영점 조절 나사를 돌려 표시자를 눈금의 '0' 위치에 오도록 맞추어 놓아야 합니다. 영점을 조절하지 않으면 물체의 무게를 정확하게 측정할 수 없습니다.

채점 기준

상	영점 조절 나사를 돌려 표시자가 눈금의 '0' 위치에 오게 한다는 내용을 쓴 경우
중	표시자가 눈금의 '0'에 오게 한다는 내용만 쓴 경우
하	영점을 맞춘다고만 쓴 경우

8 용수철저울과 가정용 저울은 물체의 무게에 따라 일정하게 늘어나거나 줄어드는 용수철의 성질을 이용한 저울입니다. 대저울은 수평 잡기의 원리를 이용하는 저울로, 오래전부터 약재나 곡물의 무게를 측정하는 데 사용했습니다. 눈금이 매겨진 막대의 한쪽에는 추, 다른 쪽에는 접시나 고리가 매달려 있습니다.

채점 기준

상	㉡을 옳게 고르고, 물체의 무게에 따라 일정하게 늘어나거나 줄어드는 용수철의 성질을 이용한다는 내용을 쓴 경우
중	㉡을 옳게 썼으나, 용수철의 성질을 이용한다고만 쓴 경우
하	㉡만 옳게 쓴 경우

(**내용 플러스**)

대저울

수평 잡기의 원리를 이용한 저울로, 추의 위치를 이동하여 저울대의 수평을 잡습니다.

혼합물의 분리

1 알갱이 크기가 다른 혼합물 분리

탐구 문제 86쪽

1 검은콩 **2** 도겸

1 눈의 크기가 검은콩보다 작고 팥보다 큰 체를 사용하면 검은콩, 팥, 쌀의 혼합물에서 검은콩만 체를 빠져나가지 못하고 체 위에 남아 분리할 수 있습니다. 알갱이의 크기가 체의 눈의 크기보다 작은 팥과 쌀은 체를 빠져나가 체 아래에 떨어집니다.

(**내용 플러스**)

알갱이의 크기 차이를 이용하여 혼합물을 분리하는 예

• 공사장에서 체를 사용하여 모래와 자갈의 혼합물을 분리합니다.

• 정수기를 사용하여 물에 섞여 있을 수 있는 불순물을 제거한 후 마십니다.

• 어민들이 섬진강 하구에서 체를 사용하여 모래와 진흙 속에 사는 재첩을 잡습니다.

• 해변 쓰레기 수거 장비는 체를 사용해서 모래와 해변 쓰레기를 분리합니다.

2 콩, 팥, 좁쌀의 혼합물을 손으로 분리하면 좁쌀은 알갱이의 크기가 작아서 손으로 집기도 어려우며 분리하는 데 시간이 많이 걸립니다. 그러나 콩, 팥, 좁쌀의 혼합물을 분리할 때 체를 사용하면 손으로 분리할 때보다 쉽고 빠르게 분리할 수 있습니다.

확인 문제 87쪽

1 ㉠ **2** 지찬 **3** ㉡, ㉢ **4** 사탕

5 (2) ◯ (3) ◯ **6** ㉣

1 두 가지 이상의 물질이 성질이 바뀌지 않은 채 서로 섞여 있는 것을 혼합물이라고 합니다. 소금은 한 가지 물질로만 이루어져 있으므로 혼합물이 아닙니다. 설탕물은 설탕과 물이 섞여 있고, 비빔밥은 여러 가지 나물과 밥, 고추장 등이 섞여 있으므로 혼합물입니다.

2 여러 가지 과일을 섞어 만든 과일 샐러드는 과일 각각의 맛, 모양, 냄새, 색깔 등이 변하지 않은 채 섞여 있는 혼합물입니다.

3 주변의 물질은 대부분 혼합물이기 때문에 혼합물을 분리하면 원하는 물질을 얻을 수 있고, 이를 우리 생활의 필요한 곳에 이용할 수 있습니다. 구리 광석에서 순수한 구리를 얻으면 그 자체로 생활 속에서 사용되기도 하고 다른 금속과 섞어 필요한 물질로 만들어져 사용되기도 합니다.

4 사탕은 물, 설탕, 소금 등을 섞어 만들었으므로 혼합물입니다.

5 눈의 크기가 쌀보다 작고 좁쌀보다 큰 체를 사용하면 좁쌀만 체를 빠져나오므로 좁쌀을 분리할 수 있습니다. 눈의 크기가 검은콩보다 작고 쌀보다 큰 체를 사용하면 검은콩만 체 위에 남아 검은콩을 분리할 수 있습니다.
(1) 눈의 크기가 좁쌀보다 작은 체를 사용하면 검은콩, 쌀, 좁쌀 모두 체 위에 남으므로 혼합물을 분리할 수 없습니다.

6 체를 사용하는 것은 혼합물에 섞여 있는 알갱이의 크기 차이에 따라 체의 눈을 빠져나가는 것과 빠져나가지 못하는 것을 분리하는 방법입니다.

② 혼합물을 분리하는 방법

탐구 문제   90쪽

1 거름종이   **2** (1) 모래 (2) 소금물

1 거름종이는 액체에 섞여 있는 작은 입자를 거를 수 있는 종이입니다. 거름종이를 현미경으로 보면 지름이 0.05 mm 정도 되는 작은 구멍들이 무수하게 서로 엉켜 있는 것이 보입니다. 이러한 거름종이는 물에 녹는 물질과 물에 녹지 않는 물질을 걸러 주는 역할을 합니다.

2 물에 녹인 소금과 모래의 혼합물을 거름 장치로 거르면 물에 녹지 않는 모래는 거름종이에 남고, 소금은 물에 녹아 거름종이를 빠져나갑니다. 실험에서 거름종이에 남아 있는 물질은 모래이고, 거름종이를 빠져나가 깔때기 아래쪽의 비커에 모인 물질은 소금물입니다.

탐구 문제

1 ㉢ → ㉡ → ㉠   **2** 증발

1 소금물을 가열하면 ㉢ 물이 줄어들고 끓다가, ㉡ 물이 줄면서 흰색 알갱이가 생기기 시작하며, ㉠ 물이 모두 증발하면 흰색 알갱이만 남고 흰색 알갱이가 사방으로 튑니다. 증발 접시에 남은 흰색 알갱이는 소금입니다.

2 소금물을 가열하면 물이 증발하여 수증기로 변하고 나중에는 소금만 남습니다.

> **내용 플러스**
> **증발**
> • 액체 표면에서 액체가 기체로 상태가 변하는 현상입니다.
> • 액체인 물이 증발하면 기체인 수증기로 변해 공기 중으로 흩어져 우리 눈에 보이지 않게 됩니다.
> • 젖은 빨래나 젖은 땅이 마르고, 어항의 물이 줄어드는 것은 물이 증발하기 때문입니다.
> • 공기 중에 포함되어 있는 수증기의 양이 적을수록, 온도가 높을수록, 공기와 닿는 면이 넓을수록 증발이 잘 일어납니다.

확인 문제   92~93쪽

1 ⑤   **2** ㉠   **3** ③   **4** (가) 자석 (나) 체
5 도현   **6** ⑤   **7** ㉡   **8** (3) ○
9 준희   **10** ㉢   **11** 증발   **12** ②

1 철이 자석에 붙는 성질을 이용하면 혼합물에서 철로 된 물체를 분리할 수 있습니다. ② 금속으로 되어 있는 물체가 모두 자석에 붙는 것은 아닙니다.

2 철 캔은 자석에 붙고 알루미늄 캔은 자석에 붙지 않습니다. 철 캔과 알루미늄 캔을 자동 분리기에 넣으면 이동판에 실려 옮겨질 때, 자석이 들어 있는 위쪽 이동판에 철 캔만 달라붙어 ㉠ 통에 분리됩니다. 알루미늄 캔은 ㉡ 통에 분리됩니다.

> **내용 플러스**
> **자석을 사용하여 혼합물을 분리하는 예**
> • 자석을 사용한 자동 분리기로 철 캔과 알루미늄 캔을 분리합니다.
> • 폐건전지를 가루로 만든 뒤 자석을 사용하여 철을 분리합니다.
> • 흙 속에 섞여 있는 철 가루를 분리합니다.
> • 말린 고추를 기계를 사용하여 고춧가루로 만들 때 철 가루가 생겨 섞이는 경우가 있는데, 이 철 가루를 자석으로 분리합니다.

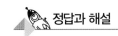
3 철 캔은 자석에 붙고 알루미늄 캔은 자석에 붙지 않으므로, 자석을 사용한 자동 분리기를 사용하여 분리할 수 있습니다. 철 캔과 알루미늄 캔을 자동 분리기에 넣으면 이동판에 실려 옮겨질 때, 자석이 들어 있는 위쪽 이동판에 철 캔만 달라붙어 분리됩니다.

4 크기가 같은 플라스틱 구슬과 철 구슬의 혼합물은 철이 자석에 붙는 성질을 이용하여 분리합니다. 플라스틱 구슬과 철 구슬의 혼합물에 자석을 가까이 가져가면 철 구슬만 자석에 붙으므로 혼합물을 분리할 수 있습니다. 검은콩과 쌀의 혼합물은 알갱이의 크기 차이를 이용하여 분리합니다. 눈의 크기가 검은콩보다 작고 쌀보다 큰 체를 사용하면 검은콩은 체 위에 남고 쌀은 체를 빠져나가므로 혼합물을 분리할 수 있습니다.

5 ㈎ 혼합물의 플라스틱 구슬과 철 구슬은 크기가 같기 때문에 체로 분리할 수 없습니다. ㈏ 혼합물의 검은콩과 쌀은 자석에 붙지 않기 때문에 자석으로 분리할 수 없습니다.

6 철 구슬이 자석에 붙는 성질을 이용하여 자석으로 철 구슬을 분리합니다. 알갱이의 크기 차이를 이용하여 눈의 크기가 검은콩보다 작고 쌀보다 큰 체와 눈의 크기가 플라스틱 구슬보다 작고 검은콩보다 큰 체로 플라스틱 구슬, 검은콩, 쌀을 분리합니다. 눈의 크기가 검은콩보다 작고 쌀보다 큰 체를 사용하면 쌀만 체 아래로 떨어져서 분리되고, 눈의 크기가 플라스틱 구슬보다 작고 검은콩보다 큰 체를 사용하면 플라스틱 구슬만 체 위에 남아 분리됩니다.

7 소금과 모래의 혼합물을 물에 녹이면 소금만 물에 녹고, 모래는 물에 녹지 않습니다. 소금과 모래의 혼합물을 물에 녹인 뒤 거름종이를 넣은 ⓛ 깔때기에 부어야 모래를 먼저 분리할 수 있습니다. 모래는 거름종이에 남고 소금은 물에 녹아 거름종이를 빠져나가기 때문입니다. 소금과 모래의 혼합물을 물에 녹인 뒤 ㉠ 증발 접시에 먼저 붓고 가열하면 물만 증발하여 모래와 소금을 분리할 수 없습니다.

8 증발 접시에 부은 액체는 소금물로, 소금물을 가열하면 물은 증발하고 증발 접시에 흰색 알갱이(소금)가 남습니다.
(1) 소금은 짠맛이 납니다. (2) 소금은 물에 잘 녹습니다.

9 잎이나 꽃을 말린 차를 거름망이나 종이 주머니에 넣어 따뜻한 물에 넣으면 물에 녹는 성분은 우러나고, 물에 녹지 않는 성분은 거름망이나 종이 주머니 안에 남아 물에 녹는 성분을 차로 마실 수 있습니다.

10 황사 전용 마스크를 쓰면 공기에 섞여 있는 황사를 마스크가 걸러 주므로 깨끗한 공기를 마실 수 있습니다.

11 물이 수증기로 변하는 현상인 증발을 이용하여 바닷물에서 소금을 얻을 수 있습니다. 염전에서 자연 증발에 의해 얻는 소금을 '천일염'이라 하고, 가마솥에 끓여서 얻은 소금을 '자염'이라고 합니다.

12 염전에서 소금을 얻거나 바닷물을 끓여 소금을 얻는 것은 물을 증발시키는 원리를 이용합니다. 빨래, 고추, 배추를 햇빛에 말리거나 오징어를 바람에 말리는 것은 증발을 이용한 경우입니다.

단원 평가

94~97쪽

1 혼합물　　**2** 가희　　**3** ㈎ 혼합물을 분리하여 생활에 필요한 물질을 얻을 수 있습니다. 혼합물에서 분리한 물질을 다른 물질과 섞어 우리 생활에 필요한 물질을 만들 수 있습니다.
4 ⑤　　　　**5** ㉢　　　　**6** 알갱이의 크기 (차이)
7 ㉠ 팥 ㉡ 좁쌀 ㉢ 콩 ㉣ 팥
8 (1) 콩 (2) ㈎ 체의 눈의 크기가 콩보다 작고 팥보다 크기 때문에 팥과 좁쌀은 체를 빠져나가고 콩만 체 위에 남아 가장 먼저 분리할 수 있습니다.　　**9** ㉠　　　　**10** (작은) 모래
11 자석　　　**12** ②　　　　**13** ㉠ 쌀 ㉡ 플라스틱 구슬
14 (1) ㉡ / ㈎ 굵은 모래와 철 가루의 알갱이의 크기 차이를 이용합니다. (2) ㉢ / ㈎ 철 가루는 자석에 붙고 모래는 자석에 붙지 않는 성질을 이용합니다.
15 (1) 철 가루가 자석에 붙는 성질 (2) 거름, 증발
16 ㈎ → ㈐ → ㈑ → ㈏　　　**17** ㉠ 증발 ㉡ 소금
18 거름　　　　　　　　　**19** (1) ㉢ (2) 증발
20 (1) ㉢ (2) ㈎ 소금물을 거름 장치로 거르면 모두 거름종이를 빠져나가기 때문에 소금물에서 소금을 분리할 수 없습니다.

1 두 가지 이상의 물질이 성질이 변하지 않은 채 서로 섞여 있는 것을 혼합물이라고 합니다. 각 물질의 성질은 섞이기 전과 같습니다.

---(**내용 플러스**)---
생활 속에서 찾을 수 있는 혼합물의 예

팥빙수

비빔밥

---

2 김, 밥, 단무지, 달걀, 당근, 시금치 등 여러 가지 재료를 섞어 김밥을 만들어도 각 재료의 맛은 변하지 않기 때문에 김밥은 혼합물입니다.

3 사탕수수에서 설탕을 얻듯이 혼합물을 분리하면 원하는 물질을 얻을 수 있습니다. 또 설탕으로 사탕을 만들 듯 혼합물에서 분리한 물질을 다른 물질과 섞어 생활에 필요한 물질(혼합물)을 만들 수 있습니다.

채점 TIP 생활에 필요한 물질을 얻을 수 있다고 쓰거나 혼합물에서 분리한 물질을 다른 물질과 섞어 생활에 필요한 새로운 물질을 얻어 이용할 수 있다는 내용을 썼으면 정답으로 합니다.

4 재활용품을 분리배출하면 자원을 재활용하여 절약하고, 쓰레기의 양도 줄일 수 있어 환경 오염을 줄일 수 있습니다.

5 눈의 크기가 너무 작으면 작은 물고기도 그물을 빠져나오지 못하게 됩니다. 눈의 크기가 너무 작지 않은 그물을 사용하면 작은 물고기는 빠져나올 수 있어 어린 물고기는 잡지 않고 다 자란 물고기만 잡아 수산 자원을 보호할 수 있습니다.

6 알갱이의 크기가 콩이 가장 크고, 좁쌀이 가장 작습니다. 콩, 팥, 좁쌀의 알갱이의 크기 차이를 이용하여 눈의 크기가 다른 두 개의 체로 혼합물을 분리할 수 있습니다.

7 **1**번 체의 눈의 크기가 **2**번 체의 눈의 크기보다 작습니다. **1**번 체는 눈의 크기가 팥보다 작고 좁쌀보다 크므로 알갱이의 크기가 체의 눈의 크기보다 큰 콩과 팥은 체 위에 남고, 알갱이의 크기가 체의 눈의 크기보다 작은 좁쌀은 체를 빠져나갑니다. **2**번 체는 눈의 크기가 콩보다 작고 팥보다 크므로 알갱이의 크기가 체의 눈의 크기보다 큰 콩은 체 위에 남고 알갱이의 크기가 체의 눈의 크기보다 작은 팥은 체를 빠져나갑니다.

8 **2**번 체의 눈의 크기가 콩보다 작고 팥보다 크기 때문에 콩만 체를 빠져나가지 못하고 체 위에 남습니다.

채점 TIP (1) 콩을 옳게 쓰고, (2) 체의 눈의 크기가 콩보다 작고 팥보다 크기 때문에 콩만 체 위에 남아 가장 먼저 분리할 수 있다는 내용을 썼으면 정답으로 합니다.

9 공사장에서는 자갈과 흙의 알갱이의 크기가 다른 성질을 이용하여 체로 분리합니다. ⓒ 기름과 물은 서로 섞이지 않으며 기름은 물 위에 뜨는 성질을 이용하여 미역국에 뜬 기름을 숟가락으로 제거합니다. ⓔ 철이 자석에 붙는 성질을 이용하여 폐건전지를 가루로 만든 뒤 철을 분리합니다.

10 해변 쓰레기 수거 장비는 체를 사용해서 체의 눈 크기보다 작은 모래와 체의 눈 크기보다 큰 철 조각, 플라스틱 조각, 동전, 조개껍데기 등을 분리하여 쓰레기를 수거합니다.

11 자석에 붙는 성질이 있는 철로 된 물체가 섞인 혼합물은 자석을 사용하여 철로 된 물체만 먼저 분리할 수 있습니다.

12 철 클립만 자석에 붙고 쌀과 플라스틱 구슬은 자석에 붙지 않는 성질을 이용하여 자석으로 철 클립만 분리합니다.

13 플라스틱 구슬이 쌀보다 크기가 크기 때문에 체 위에 플라스틱 구슬이 남고 쌀은 체를 빠져나가게 해야 혼합물을 분리할 수 있습니다.

14 굵은 모래는 철 가루보다 알갱이의 크기가 크기 때문에 눈의 크기가 철 가루보다 크고 굵은 모래보다 작은 체를 사용하여 분리할 수 있습니다. 철 가루만 자석에 붙는 성질을 이용하여 분리할 수도 있습니다.

채점 TIP (1)과 (2)의 방법에 ⓒ과 ⓔ을 각각 쓰고, 각각의 방법에 이용한 성질을 옳게 썼으면 정답으로 합니다.

15 (1) 말린 고추를 기계를 사용하여 고춧가루로 만들 때 기계가 닳으면서 작은 철 가루가 고춧가루와 섞이게 되는 경우가 있습니다. 철 가루가 섞여 있는 고춧가루가 자석으로 된 여러 개의 봉을 통과하면 고춧가루에 섞여 있던 철 가루가 자석 봉에 붙어 분리됩니다.

(2) 메주를 소금물에 넣어 두고 여러 날이 지나면 메주가 소금물에 섞여 혼합물이 만들어집니다. 이 혼합물을 천으로 거르면 물에 녹은 물질은 천을 빠져나가고, 물에 녹지 않은 물질은 천에 남게 됩니다(거름). 천에 남아 있는 건더기로 된장을 만들고 천을 빠져나간 액체는 끓여서 간장을 만듭니다(증발).

16 소금과 모래의 혼합물을 물에 녹이면 소금만 물에 녹고 모래는 물에 녹지 않습니다. 소금과 모래의 혼합물을 물에 녹인 뒤 거름 장치를 사용하여 거르면 물에 녹은 소금은 물과 함께 거름종이를 빠져나가고, 거름종이를 빠져나가지 못한 모래만 거름종이에 남습니다. 소금물을 증발 장치로 가열하면 물은 증발하고 증발 접시에 소금만 남아 분리할 수 있습니다.

17 거름 장치로 걸러진 물질인 소금물을 증발 접시에 붓고 가열하면 물이 점점 증발하면서 하얀색 알갱이인 소금만 남습니다.

18 거름 장치는 거름종이를 사용하여 물에 녹는 물질과 물에 녹지 않는 물질을 분리하는 거름의 방법을 이용합니다.

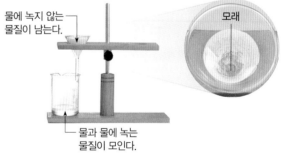

물에 녹지 않는
물질이 남는다.

모래

물과 물에 녹는
물질이 모인다.

▲ 거름 장치

19 순물질인 소금을 물에 녹이면 혼합물인 소금물이 만들어집니다. 물이 수증기로 변하는 현상을 증발이라고 하는데, 소금물로 그림을 그린 후 그림을 말릴 때 사용하는 헤어드라이어는 염전에서 소금을 얻기 위해 필요한 햇빛, 바람과 같이 물을 증발시키는 역할을 합니다.

20 소금물을 거름 장치로 거르면 소금물이 모두 거름종이를 빠져나와 거름종이에 남는 물질이 없습니다. 소금물에서 소금을 분리하기 위해서는 물을 증발시키는 방법을 사용합니다. ⓙ은 물을 빨리 증발시키는 방법이고, ⓛ은 ⓙ보다 시간이 조금 더 걸리는 증발 방법입니다.

채점 TIP (1) ⓛ을 옳게 쓰고, (2) 소금물이 거름종이를 모두 빠져나가기 때문에 소금을 분리할 수 없다는 내용을 썼으면 정답으로 합니다.

서술형 문제

98~99쪽

1 예 혼합물은 두 가지 이상의 물질이 성질이 변하지 않은 채 서로 섞여 있는 것이므로, 설탕은 한 가지 물질로만 이루어져 있어 혼합물이 아닙니다. 설탕물은 설탕과 물이 섞여 있는 것이므로 혼합물입니다. **2** 예 버려지는 금속 자원을 재활용할 수 있어 자원을 절약할 수 있고, 쓰레기의 양이 줄어 환경 오염을 줄일 수 있습니다. **3** 예 금을 분리하여 장신구 등을 만들어 사용합니다. **4** 예 손으로 분리하면 시간이 오래 걸리고 크기가 작은 좁쌀은 손으로 집기도 어렵지만, 체와 같은 도구를 사용하면 빠른 시간 내에 원하는 물질을 효과적으로 분리할 수 있습니다. **5** 예 캔이 이동판에 실려 옮겨질 때 자석이 들어 있는 위쪽 이동판에 철 캔만 달라붙고 알루미늄 캔은 가까운 상자로 이동한 후 떨어집니다. 더 멀리 이동된 철 캔은 더 먼 상자로 분리됩니다. **6** 자석, 예 철 구슬만 자석에 붙는 성질이 있으므로 자석으로 철 구슬을 붙게 하여 분리합니다. 플라스틱 구슬과 철 구슬의 크기가 비슷하므로 알갱이의 크기 차이를 이용하여 분리하는 체는 사용할 수 없습니다. **7** (1) 모래 (2) 소금물 (3) 예 소금이 물에 녹는 성질을 이용한 것입니다. **8** 예 황사 마스크는 공기와 섞여 있는 먼지나 바이러스가 우리 몸에 들어오지 못하도록 막아 주는 체와 같은 역할을 합니다. 마스크의 구멍 크기보다 큰 알갱이는 마스크 안쪽으로 들어오지 못하도록 하고 마스크의 구멍 크기보다 작은 공기만 통과시킵니다.

1 설탕은 한 가지 물질로만 이루어진 순물질입니다. 설탕물은 설탕이 물에 섞여 있는 것으로, 두 종류 이상의 순물질이 섞여 있는 혼합물입니다. 혼합물은 성분 물질들이 각각의 성질을 그대로 가지고 섞여 있습니다.

채점 기준

상	혼합물의 의미와 함께 설탕은 한 가지 물질로만 이루어져 있어 혼합물이 아니고, 설탕물은 설탕과 물이 섞여 있기 때문에 혼합물이라고 쓴 경우
중	혼합물의 의미는 알맞게 썼으나, 설탕은 섞여 있지 않고 설탕물은 물질이 섞여 있다고만 쓴 경우
하	설탕물은 두 가지 이상의 물질이 섞여 있다고만 쓴 경우

2 여러 가지 금속을 이용하여 만든 전자 제품에서 각 금속을 분리하면 처음 금속의 성질을 그대로 지니고 있기 때문에 자원을 재활용할 수 있습니다. 또 쓰레기의 양이 줄어 환경 오염을 줄일 수 있습니다.

채점 기준

상	재활용, 자원, 환경 오염을 모두 포함하여 옳게 쓴 경우
중	재활용, 자원, 환경 오염 중 두 가지만 포함하여 옳게 쓴 경우
하	재활용, 자원, 환경 오염 중 한 가지만 포함하여 옳게 쓴 경우

내용 플러스

쓰레기에서 분리해 내는 금

× 100대 =

버려진 컴퓨터, 휴대 전화에서도 금을 분리할 수 있습니다. 버려진 전자 제품 속에서 금(금속)을 분리하여 재활용하는 산업을 '도시 광산'이라고 합니다. 휴대 전화 한 대에는 금과 은, 구리 같은 금속이 열여섯 종류나 들어 있기 때문에 버려지는 휴대 전화를 잘 수거하면 각 금속을 추출하여 재활용할 수 있습니다. 특히 폐휴대 전화 100대를 모아 전자기 판에 들어 있는 금을 추출하면 한 돈(3.75g)짜리 금반지를 만들 수 있습니다.

3 혼합물을 분리하면 원하는 물질을 얻을 수 있고, 다른 물질과 섞어서 생활의 필요한 곳에 이용할 수 있습니다. 금을 분리하여 얻은 순수한 금으로 장신구 등을 만들어서 사용합니다.

▲ 금덩어리　　　　　　▲ 금으로 만든 장신구

채점 기준

상	분리해 얻은 금으로 장신구 등을 만들어 사용한다는 내용을 쓴 경우
하	생활의 필요한 곳에 사용한다고만 쓴 경우

4 혼합물을 분리할 때 손으로 분리하는 것보다 체와 같은 도구를 사용하면 더 쉽게 분리할 수 있습니다.

채점 기준

상	손으로 분리하면 시간이 오래 걸리고 손으로 집기도 어렵지만, 체를 사용하면 빠른 시간 안에 분리할 수 있다는 내용을 쓴 경우
하	손으로 분리하면 분리하기 어렵고, 체로 분리하면 쉽게 분리할 수 있다는 내용만 쓴 경우

5 철로 만들어진 철 캔은 자석에 붙고, 알루미늄으로 만든 알루미늄 캔은 자석에 붙지 않습니다.

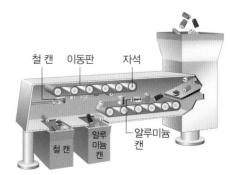

철 캔　이동판　　자석

철 캔　알루미늄 캔　알루미늄 캔

1권
1학기

채점 기준	
상	철 캔만 자석이 들어 있는 이동판에 붙어 이동하여 멀리 있는 상자로 분리되고, 알루미늄 캔은 자석에 붙지 않아 가까운 상자로 떨어져 철 캔과 알루미늄 캔이 분리된다는 내용을 쓴 경우
하	철 캔은 자석에 붙기 때문이라는 내용만 쓴 경우

6 철 구슬은 자석에 붙고 플라스틱 구슬은 자석에 붙지 않으므로, 자석을 사용하여 철 구슬을 분리합니다. 체를 사용하여 혼합물을 분리하려면 섞여 있는 알갱이의 크기 차이가 나야 하지만 플라스틱 구슬과 철 구슬의 크기가 비슷하여 체를 사용할 수 없습니다.

채점 기준	
상	철 구슬만 자석에 붙는 성질을 이용해 자석으로 철 구슬을 분리하며, 철 구슬과 플라스틱 구슬의 크기가 비슷하여 체로 분리할 수 없다는 내용을 모두 쓴 경우
중	철 구슬만 자석에 붙는 성질을 이용해 자석으로 철 구슬을 분리한다는 내용으로만 쓴 경우
하	자석으로 철 구슬을 분리한다는 내용만 쓴 경우

7 물에 녹지 않고 알갱이의 크기가 큰 모래는 거름종이를 통과하지 못해 거름종이에 남고, 물에 녹은 소금은 소금물의 형태로 거름종이를 통과하여 아래쪽 비커에 모입니다.

채점 기준	
상	(1) 모래, (2) 소금물을 옳게 쓰고, (3) 소금이 물에 녹는 성질을 이용한다는 내용을 쓴 경우
중	(1) 모래, (2) 소금물은 옳게 썼으나, (3) 물에 녹는 것과 녹지 않는 차이를 이용했다는 내용으로 쓴 경우
하	(1) 모래와 (2) 소금물 중 한 가지만 옳게 쓴 경우

8 황사는 바람에 날려 올라간 미세한 모래 먼지가 대기 중에 퍼져서 하늘을 덮고 있다가 서서히 떨어지는 흙 먼지입니다. 이러한 황사는 눈 질환이나 호흡기 질병을 일으키므로 야외에 나갈 때는 반드시 황사 전용 마스크로 코와 입을 정확하게 가려야 합니다. 황사 마스크는 내부에 체와 같은 역할을 하는 필터가 있어서 각종 먼지나 바이러스를 막아 줍니다.

채점 기준	
상	마스크는 체와 같은 역할을 하여 마스크의 구멍 크기보다 큰 먼지나 바이러스는 마스크를 통과하지 못하고, 구멍 크기보다 작은 공기만 통과한다는 내용을 쓴 경우
중	먼지나 바이러스는 마스크의 구멍을 통과하지 못한다고만 쓴 경우
하	마스크는 체와 같은 역할을 한다고만 쓴 경우

1학기 개념 학습 클리어!

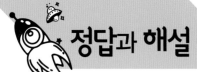

1 식물의 생활

1 들이나 산, 강이나 연못의 식물

탐구 문제 12쪽

1 공기 **2** (2) ○

1 부레옥잠의 잎자루를 칼로 잘라 관찰하면 단면에 많은 공기 주머니가 보입니다. 이 공기주머니에 공기를 저장하고 있기 때문에 부레옥잠이 물에 떠서 살 수 있습니다.

2 자른 부레옥잠의 잎자루를 물이 담긴 수조에 넣고 손가락으로 누르면 잎자루 안에 있던 공기가 나와 물 표면으로 올라갑니다. (3) 부레옥잠의 잎자루는 단단하지 않으며 손가락으로 누르면 잘 눌립니다.

확인 문제 13쪽

1 ㉢ **2** 뿌리 **3** 서빈 **4** ㈎, ㈐
5 ㈑ **6** 적응

1 잎은 잎의 전체적인 모양, 잎의 끝 모양, 잎의 가장자리 모양, 잎맥 모양 등 생김새에 따라 다양하게 분류할 수 있습니다. 소나무, 강아지풀의 잎은 전체적인 모양이 길쭉하며, 단풍나무, 토끼풀, 은행나무의 잎은 전체적인 모양이 길쭉하지 않습니다.
㉠ 분류 기준: 잎의 끝 모양이 뾰족한가?

그렇다.	그렇지 않다.

㉡ 분류 기준: 잎의 가장자리가 톱니 모양인가?

그렇다.	그렇지 않다.

이 밖에 잎을 분류할 수 있는 기준에는 '잎이 한 개인가?, 잎맥이 나란한가?, 잎에 털이 있는가?, 잎의 전체적인 생김새가 손 모양인가?' 등이 있습니다.

2 ㈎ 민들레와 ㈐ 떡갈나무 모두 땅에 뿌리를 내리며, 광합성을 통해 필요한 양분을 스스로 만듭니다.

(내용 플러스)

광합성

식물이 빛과 이산화 탄소, 뿌리에서 흡수한 물을 이용하여 살아가는 데 필요한 양분(예 녹말)을 스스로 만드는 작용을 말합니다.

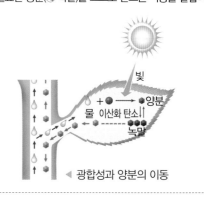

◀ 광합성과 양분의 이동

3 ㈎ 민들레는 풀이고, ㈐ 떡갈나무는 나무입니다. 나무는 모두 여러해살이 식물입니다. 나무는 풀에 비해 키가 크고, 줄기가 굵습니다.

(내용 플러스)

민들레와 떡갈나무의 특징

민들레	• 잎이 한곳에서 뭉쳐나고 하나의 잎은 톱니 모양으로 갈라져 있습니다. • 꽃은 노란색이고 여러 개의 꽃이 모여서 전체 꽃을 이룹니다. • 열매는 바람에 날립니다.
떡갈나무	• 줄기는 회갈색입니다. • 잎은 전체적으로 끝이 더 넓은 달걀 모양입니다. • 잎의 가장자리는 톱니 모양이며, 잎에 털이 있습니다.

4 ㈎ 검정말과 ㈐ 물수세미는 물속에 잠겨서 살고, 줄기가 물의 흐름에 따라 잘 휩니다. ㈏ 개구리밥은 물에 떠서 살고, 수염처럼 생긴 뿌리가 물속으로 뻗어 있습니다. ㈑ 부들은 잎이 물 위로 높이 자라고, 뿌리는 물속이나 물가의 땅에 있습니다.

(내용 플러스)

강이나 연못에 사는 식물

• 물속에 잠겨서 사는 식물: 줄기와 잎이 좁고 긴 모양이며, 줄기가 물의 흐름에 따라 잘 휩니다.
  예 검정말, 물수세미, 나사말
• 물에 떠서 사는 식물: 수염처럼 생긴 뿌리가 물속으로 뻗어 있고, 공기주머니가 있거나 스펀지와 비슷한 구조로 되어 있어 물에 쉽게 뜹니다.
  예 개구리밥, 부레옥잠, 물상추
• 잎이 물에 떠 있는 식물: 잎과 꽃이 물 위에 떠 있고, 뿌리는 물속의 땅에 있습니다.
  예 수련, 마름, 가래
• 잎이 물 위로 높이 자라는 식물: 뿌리는 물속이나 물가의 땅에 있으며, 대부분 키가 크고 줄기가 단단합니다.
  예 연꽃, 부들, 창포

5 연꽃, 부들, 창포 등은 잎이 물 위로 높이 자라고, 뿌리는 물 속이나 물가의 땅에 있습니다.

6 식물의 생김새와 생활 방식은 그 식물이 사는 곳의 환경에 따라 다릅니다. 이와 같이 생물이 오랜 기간에 걸쳐 주변 환경에 적합하게 변화되어 가는 것을 적응이라고 합니다.

---(**내용 플러스**)---

강이나 연못의 환경에 적응한 예

- 부레옥잠: 잎자루에 있는 공기주머니의 공기 때문에 물에 떠서 살 수 있습니다.
- 나사말: 잎이 좁고 긴 모양이어서 물의 흐름에 영향을 덜 받습니다.
- 개구리밥: 잎이 넓어서 물에 떠서 살기에 적합합니다.
- 수련: 잎이 넓고 갈라져 있어서 물 위에 떠 있기 좋습니다.
- 부들: 줄기가 단단합니다.

② 사막에 사는 식물, 식물의 활용

탐구 문제   16쪽

1 ㉡   **2** (1) ○

1 선인장의 줄기는 굵고 통통하며, 색깔이 초록색입니다. 선인장에는 다른 식물에서 볼 수 있는 모양의 잎이 없고, 바늘처럼 뾰족한 가시가 있습니다. 선인장의 가시는 잎이 변한 것으로, 물의 증발을 막습니다.

2 선인장의 줄기를 자르면 자른 면이 미끄럽고 축축하며, 선인장의 줄기를 자른 면에 화장지를 붙여 보면 물이 묻어 나옵니다. 이것을 통해 줄기에 물이 있다는 사실을 알 수 있습니다.

▲ 선인장의 줄기를 잘라 화장지를 붙여 본 모습

확인 문제   17쪽

1 사막   **2** ㉠, ㉣   **3** 예린   **4** (1) ○

5 스며들지 않는   **6** ㉢

1 사막은 낮에 햇빛이 강하고, 낮과 밤의 온도 차가 큽니다. 또 비가 적게 와서 건조하고, 모래로 이루어져 있으며, 모래폭풍이 붑니다. 기둥선인장과 낙타의 생김새는 모두 사막의 환경에 적응한 결과입니다.

---(**내용 플러스**)---

낙타가 사막 환경에 적응한 특징

- 낙타의 긴 눈썹: 모래 먼지로부터 눈을 보호해 줍니다.
- 낙타의 귀에 난 털: 모래바람이 불 때 귀에 모래가 들어가는 것을 막아 줍니다.
- 낙타 등에 있는 혹: 물과 먹이가 부족할 때 등의 혹에 저장한 지방을 이용합니다.
- 낙타의 콧구멍: 마음대로 여닫을 수 있어서 모래바람이 불 때 콧속으로 모래가 들어가는 것을 막을 수 있습니다.
- 낙타의 긴 다리: 바닥에 있는 모래의 뜨거운 열기를 피할 수 있습니다.
- 낙타의 넓은 발바닥: 발이 모래 속으로 빠지는 것을 막아 줍니다.

2 사막에는 생김새와 생활 방식이 사막의 환경에 적응한 여러 가지 식물이 살고 있습니다. 사막에 사는 식물에는 용설란, 회전초, 바오바브나무, 선인장, 메스키트나무 등이 있습니다.

▲ 회전초   ▲ 바오바브나무   ▲ 메스키트나무

3 선인장은 굵은 줄기에 물을 저장하여 건조한 사막에서도 잘 견딜 수 있습니다. 잎이 가시 모양이라 물이 필요한 다른 동물이 선인장을 함부로 먹지 못하고, 물이 증발하는 것을 막을 수 있습니다.

4 낙하산은 바람에 날려 퍼지는 민들레 열매의 생김새를 활용해 만들었습니다.

---(**내용 플러스**)---

민들레 열매

열매에 긴 자루가 달리고 그 끝에 갓털이 우산 모양으로 달려 있으며, 바람이 불면 갓털을 이용하여 멀리 날아가 다시 땅에서 싹을 틔웁니다.

5 연잎은 표면에 작고 둥근 돌기가 많이 나 있어 물이 스며들지 않고 흘러내리는 특징이 있습니다. 이 특징을 활용해 물이 스며들지 않는 옷, 자동차나 유리 코팅제 등을 만들었습니다.

6 찍찍이 테이프는 도꼬마리 열매 가시 끝의 갈고리 모양이 동물의 털이나 사람의 옷에 잘 붙는 특징을 활용해 만들었습니다. 찍찍이 테이프는 모자, 운동화, 기저귀, 옷 등과 같은 다양한 생활용품뿐만 아니라 우주복 등에도 사용되고 있습니다.

 단원 평가

18~21쪽

1 ㉢, ㉣   **2** (라)   **3** (1) ㉡ (2) ㉢ (3) ㉠
4 ㉠ 풀 ㉡ 나무   **5** 예 뿌리, 줄기, 잎이 있습니다. 잎이 초록색입니다. 필요한 양분을 스스로 만듭니다.
6 ㉣   **7** ①   **8** (3) ✕   **9** 현정
10 예 부레옥잠은 잎자루에 있는 공기주머니의 공기 때문에 물에 떠서 살 수 있습니다.   **11** (다)   **12** 사막, 예 비가 적게 오고, 물이 부족하여 건조합니다. 낮에는 햇빛이 강해서 뜨겁고, 낮과 밤의 온도 차가 큽니다. 모래로 이루어져 있고, 모래 폭풍이 많이 붑니다.   **13** 회전초   **14** (3) ◯
15 물(수분)   **16** ㉡, ㉢   **17** 도꼬마리   **18** 예 날개가 하나인 선풍기는 떨어지면서 회전하는 단풍나무 열매의 생김새를 활용하여 만들었습니다.   **19** 덩굴장미   **20** ㉡

1 잎은 잎의 전체적인 모양, 잎의 끝 모양, 잎의 가장자리 모양, 잎맥 모양 등 생김새에 따라 다양하게 분류할 수 있습니다. (가) 강아지풀과 (다) 대나무의 잎은 전체적인 모양이 좁고 길쭉하며, 끝 모양이 뾰족합니다. (나) 감나무의 잎은 전체적인 모양이 좁지 않고 둥급니다. (라) 토끼풀의 잎은 잎이 한곳에 세 개씩 납니다. ㉠ (가) 강아지풀의 잎은 전체적인 모양이 좁고 길쭉합니다. ㉡ (나) 감나무의 잎은 전체적인 모양이 둥급니다.

2 소나무의 잎은 바늘처럼 잎의 끝이 뾰족하고, 한곳에 두 개씩 뭉쳐납니다. (라) 토끼풀의 잎은 한곳에 세 개씩 나고, 잎의 끝이 둥급니다. (가) 강아지풀, (나) 감나무, (다) 대나무의 잎은 한 개입니다.

▲ 소나무   ▲ 토끼풀

3 (1) 부들은 강이나 연못에 사는 식물입니다. (2) 바오바브나무는 사막에 사는 식물입니다. (3) 명아주는 들이나 산에 사는 식물입니다.

▲ 부들   ▲ 바오바브나무   ▲ 명아주

4 풀과 나무의 차이점을 묻는 문제입니다. 들이나 산에 사는 식물은 크게 풀과 나무로 구분할 수 있습니다. 풀은 나무보다 키가 작고, 줄기가 가늡니다. 풀은 대부분 한해살이 식물이지만 나무는 모두 여러해살이 식물입니다.

┌─ 내용 플러스 ─────────────────
풀과 나무의 공통점과 차이점

구분	풀	나무
공통점	• 뿌리, 줄기, 잎이 있습니다. • 잎이 대부분 초록색입니다. • 대부분 땅에 뿌리를 내리고, 잎과 줄기가 잘 구분됩니다. • 필요한 양분을 스스로 만듭니다.	
차이점	• 나무보다 키가 작습니다. • 나무보다 줄기가 가늡니다. • 대부분 한해살이 식물입니다.	• 풀보다 키가 큽니다. • 풀보다 줄기가 굵습니다. • 모두 여러해살이 식물입니다. • 해마다 조금씩 자랍니다.
└──────────────────────────

5 (가) 강아지풀은 풀이고 (다) 소나무는 나무로, 풀과 나무의 공통점을 묻는 문제입니다. 풀과 나무는 뿌리, 줄기, 잎이 있고, 잎의 색깔이 대부분 초록색입니다. 풀과 나무는 광합성을 통해 필요한 양분을 스스로 만듭니다.

채점 TIP 풀과 나무의 공통점 중 두 가지를 모두 쓰면 정답으로 합니다.

6 강이나 연못에는 물속에 잠겨서 사는 식물, 물에 떠서 사는 식물, 잎이 물에 떠 있는 식물, 잎이 물 위로 높이 자라는 식물이 있습니다. 관찰 일기는 물에 떠서 사는 식물에 대한 설명이고, 물상추, 개구리밥, 부레옥잠 등이 물에 떠서 삽니다. 이 식물들은 수염처럼 생긴 뿌리가 물속으로 뻗어 있습니다. ㉠ 나사말은 물속에 잠겨서 사는 식물로, 잎이 좁고 긴 모양이어서 물의 흐름에 영향을 덜 받습니다. ㉡ 창포는 잎이 물 위로 높이 자라는 식물로, 뿌리는 물속이나 물가의 땅에 있습니다. ㉢ 마름은 잎이 물에 떠 있는 식물로, 잎은 마름모 모양이고 뿌리는 물속의 땅에 있습니다.

7 검정말과 물수세미는 물속에 잠겨서 사는 식물로, 줄기가 가늘어 물의 흐름에 따라 잘 휩니다. ② 검정말과 물수세미는 물속에 잠겨서 사는 식물로, 줄기가 단단하지 않아 줄기가 물의 흐름에 따라 잘 휩니다. ③ 검정말과 물수세미는 물속에 잠겨서 사는 식물로, 건조한 환경에서 살기 유리하지 않습니다. ④, ⑤ 검정말과 물수세미는 물속에 잠겨서 사는 식물입니다.

▲ 검정말

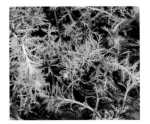
▲ 물수세미

8 연꽃, 부들, 창포 등은 잎이 물 위로 높이 자라고, 뿌리는 물 속이나 물가의 땅에 있습니다. 개구리밥은 물에 떠서 살고, 수염처럼 생긴 뿌리가 물속으로 뻗어 있습니다.

▲ 개구리밥

9 부레옥잠의 잎자루를 칼로 잘라 관찰하면 잎자루 단면에 많은 구멍이 보입니다. 자른 부레옥잠의 잎자루를 물이 담긴 수조에 넣고 손가락으로 누르면 공기 방울이 위로 올라갑니다. 누른 손을 떼면 잎 자루가 다시 부풀어 오릅니다. 이것으로 잎자루의 많은 구멍은 공기주머니로, 잎자루에 많은 공기가 저장되어 있다는 것을 알 수 있습니다.

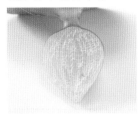
▲ 부레옥잠의 세로 단면

▲ 부레옥잠의 가로 단면

10 식물의 생김새와 생활 방식은 그 식물이 사는 곳의 환경에 따라 다릅니다. 이와 같이 생물이 오랜 기간에 걸쳐 주변 환경에 적합하게 변화되어 가는 것을 적응이라고 하며, 부레옥잠은 물이 많은 주변 환경에 적응하여 살아갑니다. 부레옥잠은 잎자루에 있는 공기주머니의 공기 때문에 물에 떠서 살 수 있습니다.

채점 TIP 잎자루에 있는 공기주머니의 공기 때문에 물에 떠서 살 수 있다는 것을 쓰면 정답으로 합니다.

11 용설란, 바오바브나무, 메스키트나무는 사막에 사는 식물입니다. 떡갈나무는 들이나 산에 사는 식물입니다.

12 사막은 햇빛이 강하고 낮과 밤의 온도 차가 크며 물이 적은 환경입니다. 하지만 이런 환경에서도 살아가는 식물이 있습니다. 사막에는 선인장, 용설란, 바오바브나무 등과 같이 여러 가지 식물이 삽니다. 이러한 식물의 생김새와 생활 방식은 사막의 환경에 적응한 결과입니다. (나) 바오바브나무는 키가 크고 줄기가 굵어서 물을 많이 저장할 수 있습니다.

채점 TIP 사막 환경의 특징 한 가지를 옳게 쓰면 정답으로 합니다.

내용 플러스

용설란과 메스키트나무가 사막 환경에 적응한 특징
• 용설란: 잎이 크고 두꺼워서 물을 저장하기에 좋습니다.
• 메스키트나무: 뿌리를 땅속으로 매우 깊이 뻗어 내려 지하수를 빨아들여 저장하고, 저장해 놓은 물로 사막 환경에서도 잘 견딜 수 있습니다.

13 회전초는 사막에 사는 식물로, 다양한 종류의 식물에서 만들어집니다. 회전초는 식물의 땅 위 부분 일부가 말라서 뿌리와 분리되거나 뿌리까지 뽑힌 뒤 바람에 날려 여기저기 통통 굴러다니는 덩어리입니다. 회전초는 굴러다니면서 씨를 뿌리고 비가 내리면 활발하게 번성하면서 살아갑니다.

▲ 회전초

14 선인장 줄기를 자른 면에 화장지를 붙여 보면 물기가 묻어 나옵니다. (1) 선인장은 줄기가 굵고 통통합니다. (2) 줄기를 자른 면은 미끄럽고 축축합니다.

15 사막은 비가 적게 오고 건조하여 물이 적은 환경입니다. 선인장은 이러한 사막에서 살아남기 위해 적응하였습니다. 선인장은 굵은 줄기에 물을 저장할 수 있기 때문에 건조한 날씨에도 잘 견딜 수 있습니다. 잎이 가시 모양이라 물이 필요한 다른 동물이 선인장을 함부로 먹지 못하고, 물의 증발을 막을 수 있습니다.

16 선인장의 잎은 가시 모양이라 물이 필요한 다른 동물이 공격하는 것을 피할 수 있고, 물의 증발을 막아 건조한 사막에서 살기에 유리합니다.

17 도꼬마리 열매의 가시를 확대해서 보면 갈고리처럼 끝이 굽어져 있습니다. 이 갈고리 모양이 동물의 털이나 사람의 옷에 잘 붙는 성질을 활용하여 찍찍이 테이프를 만들었습니다. 찍찍이 테이프의 거친 부분을 확대해서 보면 갈고리 모양의 플라스틱을 볼 수 있고 대부분 크기와 모양이 일정합니다.

▲ 도꼬마리 열매

▲ 찍찍이 테이프

18 식물의 특징을 생활에서 다양하게 활용합니다. 단풍나무 열매에는 얇은 날개가 있어서 떨어지면서 빙글빙글 회전을 합니다. 이러한 특징을 활용하여 날개가 하나인 선풍기를 만들었습니다. 날개가 하나인 선풍기는 날개가 3~4개인 선풍기보다 소음이 적고, 공기의 흐름이 좋아 에너지 효율이 높습니다.

채점 TIP 떨어지면서 회전하는 단풍나무 열매의 생김새를 활용했다는 내용을 쓰면 정답으로 합니다.

19 가시가 있는 둥근 모양의 덩굴을 만들며 자라서 사람이나 동물이 접근하기 어려운 덩굴장미의 생김새를 활용하여 가시철조망을 만들었습니다.

▲ 덩굴장미

▲ 가시철조망

20 식물은 생활에서 다양하게 활용됩니다. 식물의 단단한 줄기를 활용해 가구를 만들기도 하고, 식물의 염료를 활용해 옷에 물을 들이기도 합니다. 연잎 표면에는 작고 둥근 돌기가 많이 나 있는데, 이로 인해 잎에 물이 스며들지 않는 특징을 활용해 방수복이나 자동차 코팅제, 물이 스며들지 않는 옷감 등을 만들었습니다.

서술형 문제

22~23쪽

1 (1) 예 잎의 전체적인 모양이 길쭉한가? (2) 예 소나무, 강아지풀 (3) 예 단풍나무, 토끼풀　**2** 예 명아주는 한해살이 식물이고, 떡갈나무는 여러해살이 식물입니다.　**3** (1) ㉠ 나사말, 물수세미 ㉡ 수련, 부들, 가래, 물상추 (2) 예 나사말이나 물수세미와 같이 물속에 잠겨서 사는 식물의 줄기는 물의 흐름에 따라 잘 휘어집니다.　**4** ㉣, 예 물에 떠서 삽니다.　**5** 예 바오바브나무는 키가 크고 줄기가 굵어서 물을 많이 저장할 수 있어 사막에서 살 수 있습니다.　**6** 예 가시 모양의 잎은 물의 증발을 줄일 수 있고, 물이 필요한 다른 동물로부터 선인장을 보호합니다. 굵은 줄기는 물을 저장하여 건조한 사막에서도 잘 견딜 수 있습니다.　**7** 예 도꼬마리 열매 가시 끝의 갈고리 모양이 동물의 털이나 사람의 옷에 잘 붙는 성질을 활용해 찍찍이 테이프를 만들었습니다.　**8** (1) ㉡ (2) 예 바람에 날려 퍼지는 민들레 열매의 생김새를 활용하여 낙하산을 만들었습니다.

---

1 잎의 끝 모양으로 분류할 수도 있습니다. 잎의 끝 모양이 뾰족한 것은 단풍나무, 소나무, 강아지풀의 잎이고, 그렇지 않은 것은 토끼풀의 잎입니다. 잎의 가장자리 모양으로도 분류할 수 있습니다. 잎의 가장자리가 톱니 모양인 것은 단풍나무, 토끼풀의 잎이고, 그렇지 않은 것은 소나무, 강아지풀의 잎입니다. 잎의 개수로도 분류할 수 있습니다. 잎이 한 개인 것은 단풍나무, 강아지풀의 잎이고, 그렇지 않은 것은 소나무, 토끼풀의 잎입니다. 잎의 전체적인 생김새로도 분류할 수 있습니다. 잎의 전체적인 모양이 손 모양인 것은 단풍나무의 잎이고, 그렇지 않은 것은 소나무, 강아지풀, 토끼풀의 잎입니다.

채점 기준

상	(1) 분류 기준을 옳게 정하고, 그 기준에 맞게 (2), (3)의 식물의 잎을 분류한 경우
하	(1) 분류 기준은 옳게 정했으나, (2), (3)의 식물의 잎을 제대로 분류하지 못한 경우

2 들이나 산에 사는 식물은 크게 풀과 나무로 구분할 수 있습니다. 명아주는 풀이고, 떡갈나무는 나무입니다. 풀은 대부분 한해살이 식물이지만 나무는 모두 여러해살이 식물입니다.

채점 기준

상	명아주는 한해살이 식물이고, 떡갈나무는 여러해살이 식물이라고 쓴 경우
중	내용을 옳게 썼으나 '한해살이'와 '여러해살이' 용어 중 한 가지로만 쓴 경우
하	명아주와 떡갈나무는 한살이 과정이 다르다라고만 쓴 경우

(내용 플러스)

한해살이 식물과 여러해살이 식물
- 한해살이 식물: 한살이가 일 년 이내로 이루어지는 식물입니다.
- 여러해살이 식물: 여러 해 동안 살면서 한살이를 반복하는 식물입니다.

3 (1) 나사말, 물수세미는 물속에 잠겨서 살고, 수련, 부들, 가래, 물상추는 물속에 잠겨서 살지 않습니다. 수련, 가래는 잎이 물에 떠 있고, 뿌리는 물속의 땅에 있습니다. 부들은 잎이 물 위로 높이 자라며, 뿌리는 물속이나 물가의 땅에 있습니다. 물상추는 물에 떠서 살며, 수염같이 생긴 뿌리가 물속으로 뻗어 있습니다. (2) 나사말, 물수세미는 줄기와 잎이 좁고 긴 모양이고 물의 흐름에 따라 잘 휘어지는 특징이 있습니다.

채점 기준

상	(1) 분류 기준에 맞게 식물을 옳게 분류하고 (2) 적응한 식물의 특징도 옳게 쓴 경우
중	(1) 분류 기준에 맞게 식물을 옳게 분류하고 (2) 적응한 식물의 특징을 썼으나 설명이 부족한 경우
하	(1) 분류 기준에 맞게 식물의 분류만 옳게 쓴 경우

4 강이나 연못에는 물속에 잠겨서 사는 식물, 물에 떠서 사는 식물, 잎이 물에 떠 있는 식물, 잎이 물 위로 높이 자라는 식물이 있습니다. 부레옥잠은 잎자루에 있는 공기주머니의 공기 때문에 물에 떠서 살 수 있습니다.

채점 기준

상	㉣을 쓰고, 물에 떠서 산다고 쓴 경우
중	㉣을 쓰고, 물에 산다고만 쓴 경우
하	㉣만 쓴 경우

───(**내용 플러스**)───

부레옥잠의 생김새
- 전체적인 색깔은 초록색입니다.
- 잎이 매끈하며 광택이 납니다.
- 잎자루가 볼록하게 부풀어 있는 모양입니다.
- 뿌리는 수염처럼 생겼습니다.

5 사막은 햇빛이 강하고, 낮과 밤의 온도 차가 크며, 물이 적은 환경입니다. 하지만 이런 환경에서도 바오바브나무, 선인장, 용설란, 회전초, 메스키트나무 등의 식물이 환경에 적응하여 살고 있습니다. 바오바브나무는 키가 크고 줄기가 굵어서 물을 많이 저장할 수 있습니다. 이것은 물이 부족한 사막에 바오바브나무가 적응한 특징입니다.

채점 기준

상	키가 크고 줄기가 굵어 물을 많이 저장할 수 있다고 쓴 경우
중	줄기에 물을 저장할 수 있다고만 쓴 경우
하	키가 크고 줄기가 굵다고만 쓴 경우

6 사막은 낮에는 햇빛이 강해서 뜨겁고 낮과 밤의 온도 차가 크며, 비가 적게 오고 건조하여 물이 적은 환경입니다. 선인장은 잎이 가시 모양이라 물의 증발을 막을 수 있고, 물이 필요한 다른 동물들이 선인장을 함부로 먹을 수 없습니다. 또한 굵은 줄기에 물을 저장하여 건조한 사막 환경에서 살기에 유리합니다.

채점 기준

상	잎이 가시 모양이어서 물의 증발을 막을 수 있고 굵은 줄기에 물을 저장할 수 있다고 쓴 경우(잎이 가시 모양이어서 다른 동물이 함부로 먹지 못한다는 내용을 써도 됩니다.)
중	잎이 가시 모양이어서 물의 증발을 막을 수 있다고만 썼거나 굵은 줄기에 물을 저장할 수 있다고만 쓴 경우(다른 동물이 함부로 먹지 못한다는 내용만 쓴 경우)
하	잎이 가시 모양이라고만 썼거나 줄기가 굵다고만 쓴 경우

7 도꼬마리 열매의 생김새를 활용해 찍찍이 테이프를 만들었습니다. 도꼬마리 열매의 가시 끝이 갈고리 모양이어서 동물의 털이나 사람의 옷에 붙을 수 있습니다.

채점 기준

상	도꼬마리 열매의 생김새와 잘 붙는 성질을 모두 옳게 쓴 경우
하	도꼬마리 열매의 생김새와 잘 붙는 성질 중 한 가지만 옳게 쓴 경우

8 낙하산은 바람에 날려 퍼지는 민들레 열매의 생김새를 활용하여 만들었습니다. ㉠ 비에 젖지 않는 연잎에 작고 둥근 돌기가 많이 나 있는 특징을 활용해 물이 스며들지 않는 옷, 자동차 코팅제 등을 만들었습니다. ㉢ 물이 부족한 지역에서는 느릅나무 잎의 생김새를 활용해 빗물을 모으는 장치를 만들기도 했습니다.

▲ 민들레 열매　　　　▲ 낙하산

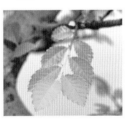

▲ 연잎

▲ 물이 스며들지 않는 옷

▲ 느릅나무 잎　　　　▲ 빗물을 모으는 장치

채점 기준

상	(1) ㉢을 쓰고, (2) 바람에 날려 퍼지는 민들레 열매의 생김새를 활용하여 만들었다고 쓴 경우
중	(1) ㉢을 쓰고, (2) 민들레 열매의 생김새를 활용하여 만들었다고만 쓴 경우
하	(1) ㉢만 쓴 경우

───(**내용 플러스**)───

우리 생활에서 식물의 특징을 활용한 예
- 허브를 활용하여 방향제와 해충 퇴치제를 만들었습니다.
- 식물의 꽃이나 잎을 활용하여 옷을 염색했습니다.
- 여러 가지 식물을 활용하여 음식을 만들었습니다.
- 단풍나무 열매의 생김새를 활용하여 날개가 하나인 선풍기와 드론의 날개를 만들었습니다.
- 가시가 있는 둥근 모양의 덩굴을 만들며 자라서 사람이나 동물이 접근하기 어려운 덩굴장미의 생김새를 활용하여 가시 철조망을 만들었습니다.

2 물의 상태 변화

1 물, 얼음, 수증기

 탐구 문제   32쪽

1 (1) ○   2 13.0

1 물이 얼기 전과 언 후의 부피 변화는 정량적으로 측정하기 어려우므로 플라스틱 시험관 속 물기둥의 높이 변화로 측정합니다. 물이 얼면 부피가 늘어나기 때문에 플라스틱 시험관 속 물기둥의 높이가 얼기 전보다 높아집니다.

---(**내용 플러스**)---

액체에서 고체로 상태가 변할 때의 부피 변화

물이 얼어 얼음이 될 때는 부피가 늘어납니다. 왜냐하면 물이 액체에서 고체로 상태가 변할 때 물 입자 사이의 거리가 가까워지면서 고체 상태의 얼음이 되는데, 이때 물 입자들이 육각형 모양의 결정을 이루어 안에 빈 공간이 생기고, 빈 공간으로 인해 부피가 늘어나기 때문입니다.

 언다.
물   부피는 늘어나지만   얼음
무게는 변하지 않는다.

그러나 물을 제외한 대부분의 물질은 액체에서 고체로 상태가 변할 때 부피가 줄어듭니다. 그 예로 액체 상태의 초콜릿이나 양초가 굳을 때 부피가 줄어들어 가운데 부분이 오목해지고, 다시 녹으면 원래대로 돌아오는 현상을 관찰할 수 있습니다. 그 까닭은 액체가 고체로 상태가 변할 때 입자 사이의 거리가 가까워졌다가 고체가 액체로 상태가 변하면서 다시 입자 사이의 거리가 멀어지기 때문입니다.

2 물이 얼면 부피는 늘어나지만 무게는 변하지 않습니다. 물이 얼기 전의 무게가 13.0 g이었으므로 물이 완전히 언 후의 무게도 13.0 g입니다.

 탐구 문제   33쪽

1 (2) ○   2 =

1 플라스틱 시험관 안의 얼음이 완전히 녹으면 얼음이 녹기 전보다 물의 높이가 낮아집니다. 이것을 통해 얼음이 녹으면 부피가 줄어든다는 것을 알 수 있습니다.

2 얼음이 녹으면 부피는 줄어들지만 무게는 변하지 않습니다. 따라서 얼음이 녹기 전의 무게와 얼음이 완전히 녹은 후의 무게는 같습니다.

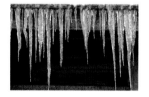 확인 문제   34~35쪽

1 물	2 ㉠	3 ㉠ 고체 ㉡ 액체 ㉢ 기체
4 민석	5 (2) ○	6 늘어난다	7 부피
8 ㉢	9 (3) ○	10 13.0	11 수빈
12 ㉣			

1 얼음은 모양이 일정하여 손으로 잡을 수 있고, 차가우며 단단합니다. 물은 일정한 모양이 없으며, 손에 잡히지 않고 흐릅니다.

2 고체 상태의 얼음을 손바닥에 올려놓으면 녹아서 액체 상태의 물이 됩니다.

---(**내용 플러스**)---

상태 변화의 종류

· 융해와 응고: 고체에서 액체로 상태가 변하는 현상을 융해, 액체에서 고체로 상태가 변하는 현상을 응고라고 합니다.

융해의 예	아이스크림이 녹습니다.
응고의 예	냉동실에 넣어 둔 주스가 업니다.

· 기화와 액화: 액체에서 기체로 상태가 변하는 현상을 기화, 기체에서 액체로 상태가 변하는 현상을 액화라고 합니다.

기화의 예	손에 묻은 물이 사라집니다.
액화의 예	겨울철 따뜻한 곳으로 들어가면 안경이 뿌옇게 흐려집니다.

· 승화: 고체에서 액체를 거치지 않고 바로 기체로 상태가 변하거나, 기체에서 액체를 거치지 않고 바로 고체로 상태가 변하는 현상을 승화라고 합니다.

승화의 예 (고체 → 기체)	드라이아이스가 기체로 변하여 날아갑니다.
승화의 예 (기체 → 고체)	겨울철에 서리가 내립니다.

3 고체 상태의 얼음인 고드름이 햇볕을 받아 녹으면 액체 상태의 물이 되고, 땅에 떨어진 물이 마르면 기체 상태의 수증기가 됩니다.

4 물이 얼 때의 무게와 부피 변화를 알아보기 위한 실험입니다. 물이 얼기 전에 표시해 두었던 물의 높이와 물이 완전히 언 후 얼음의 높이를 비교해 부피 변화를 알아볼 수 있습니다.

5 얼음이 녹으면서 열에너지를 흡수하므로 주변의 온도가 낮아지는데, 얼음과 소금을 섞으면 얼음이 녹은 물에 소금이 녹으면서 또 열에너지를 흡수하여 온도를 더 낮출 수 있습니다.

6 물이 얼기 전 물의 높이보다 완전히 얼고 난 후 물의 높이가 높아집니다. 이것을 통해 물이 얼면 부피가 늘어난다는 것을 알 수 있습니다. 물이 얼기 전 플라스틱 시험관의 무게와 물이 완전히 언 후 플라스틱 시험관의 무게는 같습니다. 이것을 통해 물이 얼면 무게는 변하지 않는다는 것을 알 수 있습니다.

7 조상들은 겨울철 큰 바위에 구멍을 뚫고 물을 부은 뒤, 물이 얼어 부피가 늘어나면 그 힘을 못 이겨 바위가 갈라지는 것을 이용하여 건축물이나 예술품을 만들었습니다.

8 얼음이 녹아 물이 될 때의 부피 변화는 얼음이 녹기 전과 완전히 녹은 후 물기둥의 높이로 비교할 수 있습니다. 완전히 녹은 후의 물기둥의 높이는 녹기 전보다 낮아집니다. 이것을 통해 얼음이 녹으면 부피가 줄어든다는 것을 알 수 있습니다.

9 얼음이 녹기 전보다 완전히 녹은 후의 물기둥의 높이가 낮아지는 까닭은 얼음이 녹아 물이 되면서 부피가 줄어들었기 때문입니다.

10 물이 얼거나 얼음이 녹으면 부피는 변하지만 무게는 변하지 않습니다. 녹기 전의 무게가 13.0 g이므로 완전히 녹은 후의 무게도 13.0 g입니다.

11 얼음이 녹아 물이 될 때 무게는 변하지 않습니다. 하지만 얼음이 녹으면 녹기 전보다 부피는 줄어듭니다. 이때 줄어든 부피는 물이 얼 때에 늘어난 부피와 같습니다.
- 채윤: 얼음이 녹아 물이 될 때 무게는 변하지 않으므로 얼음 20 g을 모두 녹이면 물 20 g이 됩니다.
- 성우: 얼음이 녹아 물이 되거나 물이 얼어 얼음이 될 때 무게는 변하지 않습니다.

12 물이 얼면 부피가 늘어납니다. ㉠ 겨울철 수도 계량기가 터지고, ㉡ 물을 가득 넣어 얼린 유리병이 깨지며, ㉢ 냉동실에 넣어 둔 요구르트병이 볼록해지는 것은 물이 얼어 부피가 늘어나는 현상의 예입니다. ㉣은 얼음이 녹아 부피가 줄어드는 현상의 예입니다. 꽁꽁 언 튜브형 얼음과자가 녹으면 튜브 안에 가득 찬 얼음과자의 부피가 줄어들어 빈 공간이 생기는 것입니다.

(내용 플러스)

물이 얼어 부피가 늘어나는 예
- 페트병에 물을 가득 넣어 얼리면 페트병이 커집니다.
- 겨울철에 장독에 물을 가득 넣어 두면 장독의 물이 얼어 장독이 깨집니다.
- 겨울철에 바위틈에 스며든 물이 얼어 바위틈이 벌어지거나 바위가 쪼개집니다.
- 얼음 틀에 물을 가득 부어 얼리면 얼음이 얼음 틀 위로 볼록 튀어나옵니다.
---

② 물의 증발과 끓음

탐구 문제 · · · · · · · · · · · · · · · · 38쪽

1 ㉢   **2** ㉡

1 물을 가열하면 물이 끓기 전까지는 물속에서 변화가 거의 없고, 물 표면이 잔잔하며, 시간이 지나면 매우 작은 기포가 조금씩 생깁니다. 물이 끓을 때는 물속에서 큰 기포가 연속해서 매우 많이 생기며, 기포가 올라와 터지면서 물 표면이 울퉁불퉁해집니다.

2 물을 계속 가열하면 물속에서 기포가 많이 생기는데 이 기포는 물이 수증기로 변한 것입니다. 이렇게 물의 표면뿐만 아니라 물속에서도 액체인 물이 기체인 수증기로 상태가 변하는 현상을 끓음이라고 합니다. 물이 끓으면 액체 상태의 물이 기체 상태의 수증기로 변해 공기 중으로 흩어지기 때문에 물의 양이 줄어들게 됩니다. 따라서 끓기 전 물의 높이보다 끓은 후 물의 높이가 낮아집니다.

확인 문제 · · · · · · · · · · · · · · · · 39쪽

1 ㉠ 수증기 ㉡ 증발   **2** (2) ○   **3** ㉠, ㉢
4 준기   **5** ㉠ 김 ㉡ 수증기   **6** ㉢

1 액체인 물이 표면에서 기체인 수증기로 상태가 변하는 현상을 증발이라고 합니다. 증발하는 예로 젖은 빨래가 마르는 것, 수채 물감으로 그린 그림이 마르는 것 등을 들 수 있습니다.

2 식품 건조기에 넣어 말린 사과 조각은 넣기 전보다 마르고 쭈글쭈글해집니다. 또 크기가 작아지고, 단맛이 더 강해집니다. 이것은 사과 조각 안의 물이 식품 건조기 안에서 증발하였기 때문입니다.

3 사과 조각에 들어 있던 액체인 물이 기체인 수증기로 변해 공기 중으로 흩어졌습니다(증발). 젖은 빨래가 마르거나 바닷물을 모아 소금을 얻는 것은 물의 증발과 관련된 현상입니다. 물을 가득 넣어 얼린 유리병이나 겨울철 수도 계량기가 깨지는 것은 물이 얼어 얼음이 되면서 부피가 늘어나기 때문에 나타나는 현상입니다.

▲ 젖은 빨래가 마른다.

▲ 염전에서 소금을 얻는다.

4 증발과 끓음은 액체인 물이 기체인 수증기로 상태가 변하는 현상입니다.

---(**내용** 플러스)---

증발과 끓음의 차이점
• 증발은 물 표면에서 물이 수증기로 상태가 변하지만, 끓음은 물 표면뿐만 아니라 물속에서도 물이 수증기로 상태가 변합니다.

▲ 증발　　　　▲ 끓음

• 증발은 물의 양이 매우 천천히 줄어들지만, 끓음은 물의 양이 빠르게 줄어듭니다.

---

5 액체 상태인 물이 끓으면 기체 상태인 수증기가 되는데, 수증기는 우리 눈에 보이지 않습니다. 하지만 수증기가 공기 중에서 식어서 차갑게 되면 일부가 작은 물방울로 상태가 변합니다. 이것이 우리 눈에 하얗게 보이는 김입니다.

6 ㈎ 과정은 액체인 물이 기체인 수증기로 상태가 변화하는 현상입니다. 빙판 위에서 스케이트를 탈 때 얼음이 녹는 현상은 고체인 얼음이 액체인 물로 상태가 변화하는 것입니다. ㉠처럼 물이 증발하거나 ㉡처럼 물이 끓을 때는 액체 상태인 물이 기체 상태인 수증기로 변해 공기 중으로 흩어집니다.

▲ 물질의 상태 변화

③ 응결, 물의 상태 변화 이용

탐구 문제　　　　　　　　　　42쪽

1 수증기　　　　**2** <

---

1 주스와 얼음을 넣은 플라스틱 컵 표면에 맺힌 물방울은 공기 중에 있던 수증기가 변한 것입니다. 이렇게 기체인 수증기가 액체인 물로 상태가 변하는 것을 응결이라고 합니다.

2 시간이 지난 뒤에 은박 접시에 올려진 주스와 얼음을 넣은 플라스틱 컵의 무게를 측정하면 처음 무게보다 무거워진 것을 알 수 있습니다. 그 까닭은 공기 중의 수증기가 차가운 플라스틱 컵 표면에 닿아 응결하여 물방울로 맺혔기 때문입니다.

확인 문제　　　　　　　　　　43쪽

1 ㉢　　　**2** 현이　　　**3** 이슬　　　**4** ㈏
5 얼음　　　**6** ㉡

1 주스와 얼음을 넣은 플라스틱 컵 표면에는 물방울이 맺힙니다. 플라스틱 컵 표면에 맺힌 물방울은 컵 안의 액체가 밖으로 새어 나온 것이 아니라 공기 중의 수증기가 차가운 플라스틱 컵 표면에 닿아 응결하여 물방울로 맺힌 것입니다.

▲ 플라스틱 컵 표면에 작은 물방울이 맺힙니다.

▲ 주스와 얼음을 넣은 플라스틱 컵 표면에서 일어나는 변화

▲ 물방울이 흘러 은박 접시에 물이 고입니다.

2 공기 중의 수증기가 차가운 플라스틱 컵 표면에 닿아 응결하여 물방울로 맺히기 때문에 ❶에서 측정한 무게보다 ❸에서 측정한 무게가 무거워집니다.

3 안개, 이슬, 구름은 공기 중 수증기가 응결하여 물방울로 변해 나타나는 기상 현상입니다.

▲ 이슬

4 ㈎ 얼음 작품, ㈐ 인공 눈, ㈑ 얼음과자를 만드는 것은 물이 얼음으로 상태가 변하는 현상을 이용한 예입니다. ㈏ 가습기를 사용하는 것은 물이 수증기로 상태가 변하는 현상을 이용한 예입니다.

5 얼음 작품을 만들 때 얼음과 얼음 사이에 물을 뿌리면 얼어붙는 현상을 이용해 얼음 조각을 붙일 수 있습니다. 이것은 액체인 물이 고체인 얼음으로 상태가 변하는 현상을 이용한 예입니다.

6 ㉠ 음식을 찌는 것과 ㉡ 스팀다리미로 다림질하는 것은 액체인 물이 기체인 수증기로 상태가 변하는 현상을 이용한 것입니다. 이글루는 얼음과 물을 이용해 만든 집입니다. 이글루를 만들 때 안쪽에 불을 지펴 얼음을 녹인 뒤 다시 얼려 단단하게 만듭니다.

44~47쪽

🐰 단원 평가

1 ㉠ 고체 ㉡ 수증기   **2** (1) ㉡ (2) ㉢ (3) ㉠
3 예 물이 얼어 얼음이 되면 부피가 늘어나기 때문입니다.
4 (나)   **5** 162.0   **6** ㉢   **7** ①
8 호철   **9** 예 사과 조각 안의 물이 증발하여 수증기로 변해 공기 중으로 흩어졌기 때문입니다.
10 (1) 진우 (2) 끓음   **11** (가)   **12** ㉠
13 (3) ○   **14** 예 공기 중의 수증기가 차가운 물체의 표면에 닿아 액체인 물로 상태가 변하는 응결 현상의 예입니다.
15 응결   **16** ㉣   **17** 희원   **18** 예 물을 수증기로 변화시켜 스팀다리미로 옷의 주름을 펴요.
19 연우, 도윤, 현준   **20** ㉠ 얼음 ㉡ 물

1 물은 고체인 얼음, 액체인 물, 기체인 수증기의 세 가지 상태로 있고, 서로 다른 상태로 변할 수 있습니다.

2 물은 고체, 액체, 기체 세 가지 상태로 존재하며, 상태에 따라 특징이 다릅니다. 고체 상태인 얼음은 일정한 모양이 있고 단단하며, 차갑고 손으로 잡을 수 있습니다. 액체 상태인 물은 일정한 모양이 없이 흐르고, 담는 그릇에 따라 모양이 변하며, 손에 잡히지 않습니다. 기체 상태인 수증기는 일정한 모양이 없고 눈에 보이지 않습니다.

3 액체 상태인 물을 얼리면 고체 상태인 얼음으로 상태가 변하면서 부피가 늘어납니다. 물이 가득 든 페트병을 얼리면 페트병이 커지는 까닭은 물이 얼어 부피가 늘어났기 때문입니다.

채점 TIP 물이 얼어 부피가 늘어났기 때문이라는 내용을 쓰면 정답으로 합니다.

4 액체인 물이 얼어 고체인 얼음으로 상태가 변하면 부피가 늘어납니다. 그래서 유리병에 물을 가득 넣어 얼리면 유리병이 깨집니다. 액체인 물이 얼어 고체인 얼음이 되는 과정은 (나)입니다.

5 얼음이 녹으면 부피는 줄어들지만 무게는 변하지 않습니다. 따라서 얼음이 완전히 녹은 후의 무게는 얼음이 녹기 전의 무게와 같으므로 162.0 g입니다. 얼음을 따뜻한 물에 넣어 녹였기 때문에 ❹ 과정에서 플라스틱 시험관 표면에 묻은 물을 닦아 낸 뒤 무게를 측정해야 얼음이 완전히 녹은 후의 무게를 정확히 측정할 수 있습니다.

6 물이 얼 때와 얼음이 녹을 때의 부피 변화를 시험관에 담긴 물기둥의 높이로 비교할 수 있습니다. 물기둥의 높이가 높아지면 부피가 늘어난 것이고, 물기둥의 높이가 낮아지면 부피가 줄어든 것입니다. 얼음이 녹아 물이 되면서 물기둥의 높이가 낮아졌으며, 이때 물기둥의 높이 차이는 얼음이 녹을 때 줄어든 부피를 의미합니다.

7 액체인 물이 표면에서 기체인 수증기로 상태가 변하는 현상을 증발이라고 합니다. 비에 젖은 길이나 젖은 빨래가 마르는 것은 물이 증발하기 때문입니다.

(내용 플러스)
물이 증발하는 것을 이용하는 예

▲ 햇볕에 고추를 말립니다.   ▲ 염전에서 소금을 얻습니다.   ▲ 헤어드라이어로 머리를 말립니다.

---

8 젖은 빨래가 마르는 것은 액체인 물이 기체인 수증기로 증발하기 때문입니다. 온도가 높을수록, 바람이 강할수록, 공기 중에 포함된 수증기의 양이 적을수록, 액체의 표면적이 넓을수록 증발이 잘 일어납니다.

• 호철: 젖은 빨래를 잘 펼쳐서 말려야 표면적이 넓어져 증발이 잘 일어날 수 있습니다.

9 식품 건조기에 넣은 과일 조각이 마르고 크기가 작아진 까닭은 과일 표면에서부터 물이 수증기로 변해 공기 중으로 흩어졌기 때문입니다. 이처럼 액체인 물은 표면에서 기체인 수증기로 상태가 변하기도 하는데, 이와 같은 현상을 증발이라고 합니다.

채점 TIP 물이 증발하여 수증기로 변했기 때문이라는 내용을 쓰면 정답으로 합니다.

(내용 플러스)
식품 건조기에 넣은 사과 조각의 변화

▲ 지퍼 백에 넣은 사과 조각   ▲ 식품 건조기에 넣은 사과 조각

모양	지퍼 백에 넣은 사과보다 표면이 쭈글쭈글합니다.
크기	지퍼 백에 넣은 사과보다 조각의 크기가 작습니다.
맛	지퍼 백에 넣은 사과보다 더 단맛이 납니다.
감촉	지퍼 백에 넣은 사과보다 건조합니다.

10 증발은 물 표면에서 물이 수증기로 상태가 변하는 현상이고, 끓음은 물 표면과 물속에서 물이 수증기로 상태가 변하는 현상입니다. 실험에서 비커를 햇볕에 둔 은별이는 증발을 이용하였고, 비커를 가열한 진우는 끓음을 이용하였습니다. 증발은 물의 양이 매우 천천히 줄어들고, 끓음은 증발할 때보다 물의 양이 빠르게 줄어들기 때문에 5분 후 물의 높이가 더 낮아지는 것은 진우의 비커입니다.

11 물이 얼어 얼음이 되면 무게는 변하지 않습니다. 물이 증발하거나 끓으면 물이 수증기 상태로 변해 공기 중으로 흩어지기 때문에 물의 양이 줄어들게 됩니다.

12 물이 끓을 때 물속에서 큰 기포가 매우 많이 생기고, 기포가 올라와 터지면서 물 표면이 울퉁불퉁해집니다. 물이 끓으면 기체 상태인 수증기가 되는데, 수증기는 우리 눈에 보이지 않습니다. 하지만 수증기가 공기 중에서 냉각되면 일부가 작은 물방울로 상태가 변합니다. 이것이 우리 눈에 하얗게 보이는 김입니다.

13 물을 가열하면 액체인 물이 수증기로 상태가 변합니다. 처음에는 표면의 물이 천천히 증발합니다. 물을 계속 가열하면 물속에서 기포가 생깁니다. 이 기포는 물이 수증기로 변한 것입니다. 이렇게 물의 표면뿐만 아니라 물속에서도 액체인 물이 기체인 수증기로 상태가 변하는 현상을 끓음이라고 합니다.

14 맑은 날 아침 풀잎에 맺힌 물방울, 추운 날 유리창 안쪽에 맺힌 물방울, 차가운 컵 표면에 맺힌 물방울, 겨울에 따뜻한 실내로 들어왔을 때 안경알 표면에 맺힌 물방울은 기체인 수증기가 액체인 물로 상태가 변하는 응결 현상의 예입니다.

채점 TIP 수증기가 물로 상태가 변하는 응결 현상임을 쓰면 정답으로 합니다.

15 집기병 안 따뜻한 수증기가 페트리 접시에 담긴 조각 얼음 때문에 차가워져 응결하여 작은 물방울이 되어 집기병 안이 뿌옇게 흐려집니다. 이것은 지표면 근처의 공기

▲ 안개

가 차가워지면 공기 중 수증기가 응결해 작은 물방울로 변하는 안개와 만들어지는 원리가 비슷합니다.

16 가열한 냄비 뚜껑 안쪽에 맺힌 물방울은 냄비 안의 물이 끓어 수증기로 변했다가 차가운 냄비 뚜껑에 닿아 응결해 다시 물로 변한 것입니다. 가뭄이 들어 논바닥이 갈라지거나 염전에서 바닷물을 가두어 소금을 얻는 것은 액체인 물이 기체인 수증기로 증발하는 현상입니다. 겨울철 처마 밑에 고드름이 생기는 것은 액체인 물이 고체인 얼음으로 상태가 변하는 현상입니다.

17 물을 얼려 얼음 작품이나 얼음과자를 만들고 스키장에서는 인공 눈을 만듭니다. 물이 수증기로 변하는 것을 이용해 스팀다리미로 옷을 다림질하고 가습기를 사용해 공기 중 수증기 양을 조절하며, 음식을 찝니다.

18 스팀다리미는 수증기를 물로 변화시키는 것이 아니라 물을 수증기로 변화시켜 옷의 주름을 폅니다.

채점 TIP 물이 수증기로 상태가 변하는 것을 이용한다는 내용을 쓰면 정답으로 합니다.

19 액체 상태인 물이 고체 상태인 얼음으로 상태가 변화하는 예는 얼음 작품 만들기, 인공 눈 만들기, 얼음과자 만들기입니다.

  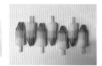
▲ 얼음 작품 만들기　▲ 인공 눈 만들기　▲ 얼음과자 만들기

20 환경 오염으로 인해 지구의 온도가 점점 높아져 극지방에 있는 빙하(얼음)가 녹아 극지방에 사는 펭귄이나 북극곰의 터전이 사라지고 있

습니다. 또한 빙하가 녹아 물이 되면서 바닷물의 높이가 점점 높아져 낮은 지대의 나라들은 물에 잠기고 있습니다.

 서술형 문제　48~49쪽

1 (1) 예 온천 주변의 눈은 고체 상태의 물입니다. (2) 예 온천의 물은 액체 상태의 물입니다. 하얗게 보이는 김은 액체 상태의 물입니다. (3) 예 공기 중의 수증기는 기체 상태의 물입니다.
2 (1) 예 얼음이 녹으면 부피는 줄어들지만 무게는 변하지 않습니다. (2) 예 물이 얼면 부피는 늘어나지만 무게는 변하지 않습니다. **3** 박대리, 예 용기 속에 재료를 가득 채우고 얼리면 얼음과자가 얼면서 부피가 늘어나 용기가 터질 수 있기 때문입니다. **4** 물의 높이가 낮아집니다. 예 비커 안의 물이 수증기로 증발하여 공기 중으로 흩어졌기 때문입니다. **5** 예 증발은 물 표면에서 물이 수증기로 상태가 변하지만, 끓음은 물 표면과 물속에서 물이 수증기로 상태가 변합니다. 증발할 때보다 물의 양이 빠르게 줄어듭니다. **6** 예 공기 중의 수증기가 차가운 컵 표면에 닿아 응결하여 물방울로 맺히면서 바닥으로 흘러내려 종이가 젖은 것입니다. **7** 예 얼음과자를 만듭니다. 스키장에서 인공 눈을 만듭니다. 얼음과 얼음을 붙여 얼음 작품을 만듭니다. **8** (1) 염전 (2) 예 바닷물을 모아 놓으면 액체인 물이 기체인 수증기로 증발하면서 공기 중으로 흩어져 바닷물에 녹아 있던 소금이 남게 됩니다.

1 물은 고체인 얼음, 액체인 물, 기체인 수증기의 세 가지 상태로 있고, 서로 다른 상태로 변할 수 있습니다. 온천 주변의 눈은 고체 상태의 물이고, 온천의 물은 액체 상태의 물입니다. 온천의 뜨거운 물이 증발하면서 냉각되어 하얗게 보이는 김은 액체 상태의 물입니다. 눈에 보이지는 않지만 공기 중의 수증기는 기체 상태의 물입니다.

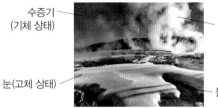

수증기 (기체 상태)
김(액체 상태)
눈(고체 상태)
물(액체 상태)

채점 기준

상	물의 세 가지 상태를 모두 옳게 쓴 경우
중	물의 세 가지 상태 중 두 가지만 옳게 쓴 경우
하	물의 세 가지 상태 중 한 가지만 옳게 쓴 경우

2 얼음이 녹아 물이 되면 부피는 줄어들지만 무게는 변하지 않습니다. 이때 줄어든 부피는 물이 얼 때에 늘어난 부피와 같습니다. 물이 얼어 얼음이 되면 부피는 늘어나지만 무게는 변하지 않습니다.

채점 기준

상	(1)은 부피는 줄어들고 무게는 변하지 않는다고 쓰고, (2)는 부피는 늘어나고 무게는 변하지 않는다고 쓴 경우
중	(1)과 (2) 모두 부피는 변하지만 무게는 변하지 않는다고 쓴 경우
하	(1)과 (2)의 부피와 무게 변화 중 일부만 옳게 쓴 경우

3 튜브형 용기에 담긴 얼음과자가 녹으면 용기 속에 빈 공간이 생긴 것을 볼 수 있습니다. 얼음과자가 얼면 부피가 늘어나기 때문에 처음에 용기에 빈 공간을 두고 재료를 넣어야 얼면서 용기가 터지지 않습니다.

▲ 얼음과자가 녹기 전
▲ 얼음과자가 녹은 후

채점 기준

상	박대리를 쓰고, 얼면 부피가 늘어나기 때문이라는 내용을 쓴 경우
중	박대리를 쓰고, 부피가 변하기 때문이라고만 쓴 경우
하	박대리만 쓴 경우

4 액체인 물이 표면에서 기체인 수증기로 상태가 변하는 현상을 증발이라고 합니다. 물의 높이가 낮아진 까닭은 비커 안의 물이 표면에서 수증기로 증발하여 공기 중으로 흩어졌기 때문입니다.

채점 기준

상	물이 수증기로 증발하여 물의 높이가 낮아졌다고 쓴 경우
중	물이 수증기로 변해 물의 높이가 낮아졌다고 쓴 경우
하	물의 높이가 낮아졌다는 내용만 쓴 경우

5 증발과 끓음은 물이 수증기로 상태가 변하는 현상입니다. 증발은 물 표면에서 물이 수증기로 상태가 변하지만, 끓음은 물 표면뿐만 아니라 물속에서도 물이 수증기로 상태가 변합니다. 증발은 물의 양이 매우 천천히 줄어들지만, 끓음은 증발할 때보다 물의 양이 빠르게 줄어듭니다.

채점 기준

상	증발과 비교하여 끓음은 물 표면과 물속에서 물이 수증기로 상태가 변한다고 쓰거나 증발할 때보다 물의 양이 빠르게 줄어든다고 쓴 경우
중	증발과 비교하지 않고 끓음의 특징을 쓴 경우
하	물이 끓을 때 기포가 많이 발생한다와 같이 사진에서 보이는 모습만을 쓴 경우

6 응결이란 기체 상태의 수증기가 액체 상태의 물로 상태가 변하는 현상을 말합니다. 공기 중의 수증기가 차가운 컵 표면에 닿아 응결하여 물방울로 맺혀 바닥으로 흘러내리면서 종이가 젖은 것입니다.

채점 기준

상	공기 중의 수증기가 응결하여 물방울이 맺혔기 때문이다는 내용을 쓴 경우
중	공기 중의 수증기가 물방울로 상태가 변화했기 때문이다는 내용을 쓴 경우
하	컵 표면에 물방울이 맺혔다는 내용을 쓴 경우

7 (개)는 액체인 물이 얼어 고체인 얼음으로 상태가 변하는 과정입니다. 우리 생활에서 얼음을 이용하는 예를 쓰면 정답으로 합니다.

채점 기준

상	우리 생활에서 물을 얼려 얼음을 이용하는 경우를 구체적으로 쓴 경우
하	물을 얼려 얼음을 만든다는 내용만 쓴 경우

8 소금을 만들기 위하여 바닷물을 끌어 들여 논처럼 만든 곳은 염전입니다. 염전에 바닷물을 모아 놓으면 햇빛, 바람 등에 의하여 바닷물에 있는 물이 증발하고 소금이 남습니다.

채점 기준

상	(1) 염전이라 쓰고, (2) 물이 증발하여 소금이 만들어진다고 쓴 경우
중	(1) 염전이라 쓰고, (2) 물이 말라서 소금이 만들어진다고 쓴 경우
하	(1) 염전이라 쓰고, (2)는 제대로 쓰지 못한 경우

3 그림자와 거울

1 물체의 그림자

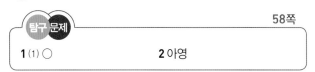

탐구 문제   58쪽

1 (1) ○   2 아영

1 불투명한 물체는 빛이 물체를 통과하지 못해 진한 그림자가 생기고, 투명한 물체는 빛이 대부분 물체를 통과해 연한 그림자가 생깁니다. 도자기 컵은 불투명한 물체이고, 유리컵은 투명한 물체이므로 도자기 컵에 빛을 비추면 진하고 선명한 그림자가 생기고, 유리컵에 빛을 비추면 연하고 흐릿한 그림자가 생깁니다.

▲ 도자기 컵의 그림자   ▲ 유리컵의 그림자

2 빛이 나아가다가 물체를 만나 빛이 통과하지 못하면 그림자가 생깁니다. 도자기 컵은 불투명한 물체이고 유리컵은 투명한 물체로, 불투명한 물체보다 투명한 물체가 빛을 더 많이 통과시킵니다.
   • 혜인: 유리컵은 투명해서 빛이 대부분 통과합니다.
   • 준우: 도자기 컵은 불투명해서 빛이 통과하지 못합니다.

확인 문제   59쪽

1 ○   2 그림자   3 ○, ○   4 ○
5 ○ 투명 ○ 불투명   6 수진

1 그림자가 생기려면 빛과 물체가 있어야 하고, 물체에 빛을 비춰야 합니다. 손전등-물체-스크린(흰 종이) 순서가 될 때 그림자가 생기므로, 물체를 ○ 위치에 놓아야 손전등의 빛을 비췄을 때 그림자가 생깁니다. 이때 그림자는 물체 뒤쪽의 스크린(흰 종이)에 생깁니다.

스크린
손전등   물체   그림자

▲ 그림자가 생기는 위치

2 빛이 곧게 나아가다가 물체를 만나 빛의 일부 또는 전부가 막혀 빛이 도달하지 못해 물체의 뒤에 어둡게 보이는 것이 그림자입니다. 그림자가 생기려면 빛과 물체가 있어야 하고, 물체에 빛을 비춰야 합니다.

3 물체 하나에 불을 켠 손전등 두 개를 비출 때 물체의 그림자는 두 개가 생깁니다. 이때 두 개의 그림자는 서로 다른 위치에 있습니다.

4 빛이 나아가다가 불투명한 물체를 만나면 빛이 통과하지 못해 진한 그림자가 생기고, 투명한 물체를 만나면 빛이 투명한 물체를 대부분 통과해 연한 그림자가 생깁니다. 책, 축구공, 도자기 컵은 불투명한 물체이므로 진한 그림자가 생기고, 유리컵은 투명한 물체이므로 연한 그림자가 생깁니다.

5 안경에 빛을 비추면 안경의 유리 부분은 투명하기 때문에 빛이 대부분 통과하여 그림자가 연하고 흐릿하게 생깁니다. 안경의 테 부분은 불투명하기 때문에 빛이 통과하지 못해 그림자가 진하고 선명하게 생깁니다.

6 우리 생활에서 반투명하거나 불투명한 물체로 그림자가 생기는 것을 이용하는 경우가 있습니다. 햇빛으로부터 눈을 보호하기 위해 색안경을 쓰거나 약이나 음료가 빛을 받아 변하는 것을 막기 위해 갈색병을 사용하고, 낮에 영화를 볼 때 블라인드를 치는 것이 그 예입니다.

--- 내용 플러스 ---

우리 생활에서 불투명한 물체를 이용하는 예
• 암막: 빛을 막아 실험을 하거나 낮에 영화를 볼 때 도움을 줍니다.
• 인삼밭 그늘막: 인삼은 강한 햇빛을 받으면 잘 자라지 않기 때문에 검은색 천 등으로 햇빛을 가려 줍니다.
• 모자: 햇빛에 얼굴이 검게 그을리는 것을 막아 줍니다.

▲ 암막   ▲ 인삼밭 그늘막   ▲ 모자

2 그림자의 모양과 크기 변화

탐구 문제   62쪽

1 가깝게   2 ○

1 물체와 스크린을 그대로 두었을 때 그림자의 크기는 손전등과 물체 사이의 거리에 따라 달라집니다. 손전등을 물체에 가깝게 하면 그림자의 크기는 커지고, 손전등을 물체에서 멀게 하면 그림자의 크기는 작아집니다.

▲ 손전등을 동물 모양 종이에 가깝게 할 때　　▲ 손전등을 동물 모양 종이에 멀게 할 때

2 물체의 그림자 크기를 변화시키려면 손전등의 위치를 조절하거나 물체의 위치 또는 스크린의 위치를 조절해야 합니다. 물체와 스크린은 그대로 두고 손전등을 움직여 그림자의 크기를 작게 만들려면 손전등을 물체에서 멀게 해야 합니다. ㉠ 위치에 손전등이 있을 때 그림자의 크기가 가장 크고, ㉡ 위치에 손전등이 있을 때 그림자의 크기가 가장 작습니다.

 확인 문제 　　　　　　　　　　　　　　　63쪽

1 빛의 직진　　**2** 은호　　**3** ㉢　　**4** ㉣
5 작아집니다.　**6** (2) ○　(3) ○

1 빛은 태양이나 전등과 같은 광원에서 나와 사방으로 곧게 나아갑니다. 이렇게 빛이 곧게 나아가는 성질을 빛의 직진이라고 합니다. 등대의 불빛, 문틈으로 들어오는 햇빛, 자동차의 전조등 불빛, 구름 사이로 비치는 빛 등이 나아가는 모습을 보면 빛이 공기 중에서 곧게 나아가는 것을 알 수 있습니다.

2 직진하는 빛이 물체를 통과하지 못하면 물체 모양과 비슷한 그림자가 물체의 뒤쪽에 있는 스크린에 생깁니다. 원 모양 종이의 그림자는 원 모양, 삼각형 모양 종이의 그림자는 삼각형 모양입니다.

3 그림자 모양은 빛이 나아가는 방향에 수직인 물체의 단면 모양과 같습니다. 블록을 놓는 방법에 따라 ⌐⌐⌐ 등과 같은 다양한 모양의 그림자를 만들 수 있습니다.

4 물체, 광원, 스크린 사이의 거리를 조절하면 그림자의 크기를 변화시킬 수 있습니다. 광원의 색깔, 광원의 밝기, 스크린의 크기는 그림자 크기에 영향을 주지 않습니다.

5 물체의 그림자 크기를 변화시키기 위해서는 전등의 위치나 물체의 위치, 스크린의 위치를 조절합니다. 물체와 스크린은 그대로 두고 전등을 물체에서 멀게 하면 그림자의 크기가 작아집니다.

─(내용 플러스)─

그림자의 크기를 변화시키는 방법

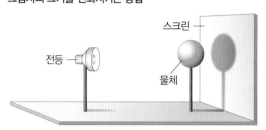

• 물체와 스크린을 그대로 두었을 때: 전등을 물체에서 멀게 하면 그림자의 크기가 작아지고, 전등을 물체에 가깝게 하면 그림자의 크기가 커집니다.
• 전등과 스크린을 그대로 두었을 때: 물체를 전등에서 멀게 하면 그림자의 크기가 작아지고, 물체를 전등에 가깝게 하면 그림자의 크기가 커집니다.
• 전등과 물체를 그대로 두었을 때: 스크린을 물체에 가깝게 하면 그림자의 크기가 작아지고, 스크린을 물체에서 멀게 하면 그림자의 크기가 커집니다.

6 전등과 스크린을 그대로 두었을 때 물체를 전등에 가깝게 하면 그림자의 크기가 커집니다. 물체와 스크린을 그대로 두었을 때 전등을 물체에 가깝게 하면 그림자의 크기가 커집니다. (1) 전등과 스크린을 그대로 두었을 때, 물체를 전등에서 멀게 하면 그림자의 크기가 작아집니다.

❸ 빛의 반사, 거울

탐구 문제 　　　　　　　　　　　　　　　66쪽

1 ㉡　　　　　　**2** (1) ○

1 인형을 거울에 비춰 보면 인형의 상하는 바뀌어 보이지 않지만 좌우는 바뀌어 보입니다. 거울에 비친 인형의 색깔은 실제 인형의 색깔과 같습니다.

2 거울에 비친 물체의 색깔은 실제 물체의 색깔과 같지만, 물체를 거울에 비춰 보면 물체의 좌우가 바뀌어 보입니다. 과학 글자 카드를 거울에 비춰 보면 턴하 으로 보입니다.

확인 문제 67쪽

1 (1) ○ (2) ○ (3) × (4) ○ **2** ㉢ **3** 빛의 반사
4 ㉡ **5** 잠망경 **6** (1) ㉠ (2) ㉢ (3) ㉡

1 거울은 물체의 모습을 비추는 도구입니다. 물체를 거울에 비춰 보면 물체의 상하는 바뀌어 보이지 않지만 좌우는 바뀌어 보입니다. 거울에 비친 물체의 색깔은 실제 물체의 색깔과 같습니다.

---(내용 플러스)---

거울에 비친 물체의 모습
거울은 빛의 반사를 이용해 물체를 비추는 도구입니다. 거울에는 거울 면이 평평한 평면거울, 거울 면이 볼록한 볼록 거울, 거울 면이 오목한 오목 거울이 있는데, 모양에 따라 비치는 모습이 다릅니다.
• 평면거울: 좌우가 바뀌어 보이고 우리가 사용하는 대부분의 거울은 평면거울입니다.
• 볼록 거울: 빛을 퍼뜨리는 성질이 있는 볼록 거울은 실제 물체보다 작게 보이므로, 넓은 범위를 보는 데 이용합니다.

▲ 자동차 옆 거울　　▲ 편의점 거울

• 오목 거울: 빛을 모으는 성질이 있는 오목 거울은 실제 물체보다 크게 보이므로, 빛을 모으거나 물체를 확대하여 자세히 보는 데 이용합니다.

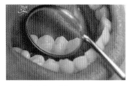
▲ 치과용 거울　　▲ 현미경

2 물체를 거울에 비춰 보면 물체의 상하는 바뀌어 보이지 않지만 좌우는 바뀌어 보입니다. 거울에 비췄을 때 숫자가 바르게 보이도록 하려면 숫자 카드에 숫자의 좌우를 바꾸어 써야 합니다.

3 빛이 직진하다가 거울에 부딪치면 거울에서 빛의 방향이 바뀌는데, 이러한 현상을 빛의 반사라고 합니다. 거울이 물체의 모습을 비출 수 있는 것은 빛의 반사 때문입니다.

▲ 손전등의 빛을 거울에 비췄을 때 빛이 나아가는 모습

4 빛이 나아가다가 거울에 부딪치면 거울에서 빛의 방향이 바뀝니다. 빛이 반사할 때 입사각과 반사각의 크기가 같습니다.

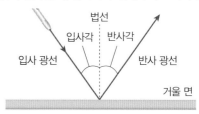

• 입사 광선: 거울 면으로 들어가는 빛
• 반사 광선: 거울 면에서 반사되어 나아가는 빛
• 법선: 거울 면에 수직인 선
• 입사각: 법선과 입사 광선이 이루는 각
• 반사각: 법선과 반사 광선이 이루는 각

5 잠망경은 두 개의 거울을 사용하여 눈으로 직접 볼 수 없는 곳에 있는 물체를 볼 수 있게 해 주는 도구입니다. 거울에 반사되어 좌우가 바뀐 물체의 모습이 다시 거울에 반사되어 원래 물체의 모습을 볼 수 있습니다.

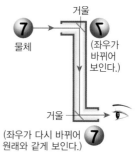
▲ 잠망경으로 본 물체의 모습

6 거울은 우리가 흔히 사용하는 생활용품입니다. 세수할 때 얼굴을 보기 위해 세면대 거울을 사용하고, 미용실에서 자신의 머리 모양을 볼 수 있도록 거울을 사용합니다. 편의점에서 가게 안의 구석까지 보기 위해 거울을 사용하고, 다른 자동차의 위치를 확인할 때 자동차 뒷거울이나 옆 거울을 사용합니다.

1 예 구름이 햇빛을 가렸기 때문에 그림자가 생기지 않습니다.

2 태희   **3** (3) ◯ (4) ◯   **4** ㉠ 불투명 ㉤ 진한

5 ㉤   **6** (2) ◯   **7**    **8** ㉣

9 ①   **10**

11 ㉢   **12** 예 스크린과 물체를 그대로 두었을 때 손전등을 물체에 가깝게 하면 그림자의 크기가 커지고, 손전등을 물체에서 멀게 하면 그림자의 크기가 작아집니다.

13 항어취읍

14 예 거울에 비친 물체의 모습은 실제 물체와 좌우가 바뀌어 보입니다.   **15** ㉤   **16** 2, 30   **17** 3(세)

18 ㉠, ㉣   **19** (1) **14**   (2) 첫 번째 거울에서 좌우가

바뀐 모습이 두 번째 거울에서 다시 좌우가 바뀌어 원래 물체의 모습 그대로 보이기 때문입니다.   **20** ㉣

1 그림자가 생기기 위해서는 빛과 물체가 있어야 하고, 물체에 빛을 비춰야 합니다. 햇빛이 있는 낮에는 운동장에 있는 나무, 철봉, 아이들 주변에 그림자가 생깁니다. 하지만 구름이 햇빛을 가리면 햇빛이 물체를 비추지 않기 때문에 운동장에 생긴 그림자는 사라집니다.

채점 TIP 구름이 햇빛을 가려 그림자가 생기지 않는다는 내용을 쓰면 정답으로 합니다.

2 그림자가 생기려면 빛, 물체, 스크린이 있어야 합니다. 손전등－물체－스크린 순서가 될 때 물체 뒤쪽의 스크린에 물체의 그림자가 생깁니다. 물체에 손전등 빛을 비추면 빛이 나아가다가 물체를 통과하지 못해 스크린에 빛이 닿지 않는 부분이 생기는데, 이것이 물체의 그림자입니다.

3 도자기 컵과 유리컵에 빛을 비추면 스크린에 그림자가 생깁니다. 도자기 컵의 그림자 모양은 도자기 컵의 모양과 같으며, 빛이 도자기 컵을 통과하지 못해 진하고 선명한 그림자가 생깁니다. 유리컵의 그림자 모양은 유리컵의 모양과 같으며, 빛이 대부분 통과해 연하고 흐릿한 그림자가 생깁니다.

4 빛이 나아가다가 불투명한 물체를 만나면 빛이 통과하지 못해 진하고 선명한 그림자가 생깁니다. 빛이 나아가다가 투명한 물체를 만나면 빛이 대부분 통과해 연하고 흐릿한 그림자가 생깁니다.

5 우리 생활에서 물체의 그림자가 생기는 것을 이용해 생활을 편리하게 한 예로는 그늘막, 양산, 천막, 색안경, 자동차의 햇빛 가리개, 모자, 암막, 커튼 등이 있습니다. 유리온실, 유리 천장, 교실 유리창, 진열장 등은 투명한 물체로 빛을 잘 들어오게 이용한 예입니다.

내용 플러스

우리 생활에서 투명한 물체를 이용하는 예
- 유리온실: 빛이 잘 들어와 식물이 잘 자라도록 합니다.
- 교실 유리창: 빛이 잘 들어오게 하기 위해 유리를 사용합니다. 하지만 복도 쪽 창문은 복도를 지나다니는 사람 때문에 수업이 방해받는 것을 막기 위해 젖빛 유리(간유리)를 사용하기도 합니다.
- 진열장 유리: 빛이 잘 들어와 진열장 안의 장식품 등이 잘 보이게 합니다.

6 월식은 [태양－지구－달]로 일직선이 되어 달이 태양 빛에 의하여 생긴 지구의 그림자 속으로 들어가 달의 일부가 보이지 않거나 전체가 가려지는 현상을 말합니다. (1)은 [태양－달－지구]로 일직선이 되어 태양의 일부가 달에 의해 가려지는 일식 현상입니다.

7 직진하는 빛이 물체를 통과하지 못하면 물체 모양과 비슷한 그림자가 물체의 뒤쪽에 있는 스크린에 생깁니다. 가운데 구멍이 뚫린 종이에 손전등으로 빛을 비추면 종이의 모양과 비슷한 그림자가 생기며, 구멍이 뚫린 부분은 그림자가 생기지 않습니다.

8 그림자는 입체적인 물체를 평면 위에 나타낸 것이기 때문에 물체의 모양과 비슷하지만 그대로 보여지는 것은 아닙니다. 그림자의 모양은 물체가 놓인 모습과 광원의 방향에 따라 달라집니다. 도자기 컵에 손잡이가 달려 있기 때문에 ㉣ ●과 같은 그림자의 모양은 만들 수 없습니다.

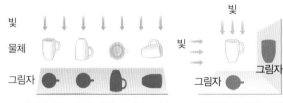

▲ 컵이 놓인 모습에 따른 그림자 모양   ▲ 광원의 방향에 따른 그림자 모양

9 물체의 모양과 그림자의 모양은 비슷합니다. 물체를 다른 방향으로 놓거나 광원의 방향을 바꾸면 그림자의 모양도 달라집니다. 구멍이 뚫린 테이프의 경우 ● 모양의 그림자는 만들 수 없습니다.

10 블록의 위, 아래에서 빛을 비추면 ▬ 모양의 그림자가 생기고, 블록의 오른쪽, 왼쪽에서 빛을 비추면 ▮ 모양의 그림자가 생깁니다. 블록의 앞, 뒤에서 빛을 비추면 ┻ 모양의 그림자가 생깁니다.

11 손전등과 물체 사이의 거리에 따른 그림자의 크기 변화를 알아보는 실험으로, 물체와 스크린을 그대로 두고 손전등의 위치를 조절하였습니다. 실험에서 손전등을 물체에 가깝게 하면 그림자의 크기가 커지고, 손전등을 물체에서 멀게 하면 그림자의 크기가 작아집니다.

12 물체의 그림자 크기를 변화시키기 위해서는 손전등이나 물체, 스크린의 위치를 조절해야 합니다.

> **채점 TIP** 손전등을 물체에 가깝게 하면 그림자의 크기가 커지고, 손전등을 물체에서 멀게 하면 그림자의 크기가 작아진다는 내용을 썼으면 정답으로 합니다.

13 거울에 비친 글자는 원래의 글자와 좌우가 바뀌어 보입니다.

14 거울에 비친 물체의 색깔은 실제 물체의 색깔과 같습니다. 실제 물체와 상하는 바뀌어 보이지 않지만 좌우가 바뀌어 보입니다.

> **채점 TIP** 실제 물체와 좌우가 바뀌어 보인다는 내용을 쓰면 정답으로 합니다.

15 글자가 절반씩 있는 글자 카드의 가운데에 거울을 대고, 카드의 왼쪽과 오른쪽을 각각 거울로 비추면 서로 다른 글자로 보입니다. 거울은 빛을 반사하는 성질이 있어, 거울 앞에 놓인 물체의 모습을 비추기 때문입니다. ㉠의 왼쪽을 비추면 ㅍ, 오른쪽을 비추면 ㅂ으로 보입니다. ㉡의 왼쪽을 비추면 ㅁ, 오른쪽을 비추면 ㅇ으로 보입니다. ㉢의 왼쪽을 비추면 ㅊ, 오른쪽을 비추면 ㅎ으로 보입니다.

16 거울에 비친 시계의 모습은 좌우가 바뀌어 보이는 것이기 때문에 실제 모습은 이므로, 시계가 가리키는 시각은 2시 30분입니다.

17 빛이 직진하다가 거울에 부딪치면 방향을 바꾸어 다시 직진합니다. 길이 굽은 지점에서 빛이 나아가는 방향을 바꾸어야 하기 때문에 거울은 3개가 필요합니다.

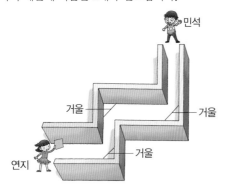

18 빛이 곧게 나아가다가 거울에 부딪치면 거울에서 빛의 방향이 바뀝니다. 빛이 곧게 나아가는 성질을 빛의 직진이라고 하고, 빛이 직진하다가 거울에 부딪쳐 방향이 바뀌는 성질을 빛의 반사라고 합니다.

19 거울에 물체를 비춰 보면 상하는 바뀌어 보이지 않지만 좌우는 바뀌어 보입니다. 잠망경은 (평면)거울 두 개를 이용하여 만든 도구로, 잠망경을 통해 물체를 보면 좌우가 바뀐 물체의 모습이 다시 좌우가 바뀌어 원래 모습 그대로 보입니다. 잠망경으로 숫자 카드 [14]를 보면, 첫 번째 거울에서 좌우가 바뀌어 [ᔑ1]로 보이고 두 번째 거울에서 좌우가 다시 바뀌어 원래 모습과 같게 [14]로 보입니다.

> **채점 TIP** 좌우가 바뀐 물체의 모습이 다시 좌우가 바뀌어 원래 물체의 모습 그대로 보인다는 것을 쓰면 정답으로 합니다.

20 거울 두 개 사이에 물체를 놓고 거울의 각도를 조절하면 한쪽 거울에 만들어진 물체의 모습이 다른 쪽 거울에도 비쳐 모습을 또 만들기 때문에 물체의 모습이 여러 개 보입니다. 거울 두 개가 이루는 각의 크기를 작게 할수록 거울에 비친 물체의 개수가 점점 많아집니다. ㉠의 경우 거울에 비친 물체의 개수는 한 개입니다.

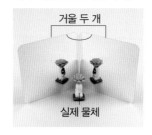
거울 두 개
실제 물체

각도를 조절합니다.

 서술형 문제

1 예 햇빛이 없는 밤이나 흐린 날씨에는 그림자가 생기지 않아 해시계를 사용할 수 없습니다. **2**(1) 예 빛이 대부분 통과합니다. (2) 예 도자기 컵의 모양과 같고, 진하고 선명한 그림자가 생깁니다. **3** 예 손잡이를 투명한 막대로 만듭니다. 손잡이 대신 가느다란 실로 새를 매달아 움직입니다. **4** 예 물체를 손전등에 가깝게 하면 그림자의 크기가 커집니다. **5** 예 소녀 인형의 위치만 조명에 가깝게 이동합니다. **6** 예 앞에 가는 자동차의 뒷거울에 구급차의 모습이 비쳐 보일 때 좌우가 바뀌어 글자가 바르게 보여 빠르게 알아보고 길을 양보할 수 있기 때문입니다. **7** 예 빛이 나아가다가 거울에 부딪치면 거울에서 빛의 방향이 바뀌는 빛의 반사 성질 때문입니다. **8** 예 편의점이나 가게 안의 구석까지 볼 수 있습니다.

1 그림자는 물체가 빛을 가릴 때 물체 뒤쪽에 생기기 때문에 햇빛이 비치지 않는 밤이나 흐린 날씨에는 그림자가 생기지 않아 해시계를 사용할 수 없습니다.

채점 기준

상	햇빛이 없는 밤이나 흐린 날씨와 같은 상황에서는 그림자가 생기지 않아 해시계를 사용할 수 없다고 쓴 경우
하	그림자가 생기지 않으면 해시계를 사용할 수 없다고만 쓴 경우

---(**내용 플러스**)---

앙부일구

앙부일구는 시각과 절기를 알려 주는 해시계입니다. 그림자가 비치는 면이 오목한 가마솥 모양이라서 '가마솥 모양의 해시계'라는 뜻의 앙부일구라는 이름이 붙여졌습니다. 앙부일구는 하루 동안 그림자의 위치 변화를 이용하여 시각을 알 수 있고, 계절에 따라 그림자의 길이가 달라지는 원리를 이용하여 절기를 알 수 있습니다. 앙부일구에는 시각마다 십이지 동물이 그려져 있어서 글을 모르는 사람도 앙부일구를 보고 시각을 알 수 있었습니다.

2 빛이 나아가다가 도자기 컵과 같은 불투명한 물체를 만나면 빛이 통과하지 못해 진하고 선명한 그림자가 생기고, 유리컵과 같은 투명한 물체를 만나면 빛이 대부분 통과해 연하고 흐릿한 그림자가 생깁니다.

채점 기준

상	(1) 빛이 대부분 통과한다라고 쓰고, (2) 도자기 컵의 그림자의 모양과 진하기를 모두 옳게 쓴 경우
중	(1) 빛이 대부분 통과한다라고 쓰고, (2) 도자기 컵의 그림자의 모양과 진하기 중 한 가지만 옳게 쓴 경우
하	(1)과 (2) 중 한 가지만 옳게 쓴 경우

3 빛이 나아가다가 투명한 물체를 만나면 빛이 대부분 통과해 연한 그림자가 생기고 불투명한 물체를 만나면 빛이 통과하지 못해 진한 그림자가 생깁니다. 따라서 손잡이를 투명한 물체로 만들면 손잡이 부분의 그림자를 덜 보이게 할 수 있습니다. 이 밖에 가느다란 실로 매달아 새를 움직여도 됩니다.

채점 TIP 손잡이를 투명한 물체로 만든다거나, 그림자가 잘 보이지 않는 물체로 만든다 등과 같은 내용을 쓰면 정답으로 합니다.

4 손전등과 스크린은 그대로 두고, 물체를 손전등에 가깝게 하면 그림자의 크기가 커집니다. 물체가 스크린에서 멀어지면 그림자의 크기가 커진다고 표현할 수도 있습니다.

채점 기준

상	물체를 손전등에 가깝게 하면 그림자의 크기가 커진다고 쓴 경우
중	그림자의 크기가 커진다고만 쓴 경우
하	그림자의 크기가 변한다고만 쓴 경우

5 그림자의 크기를 변화시키려면 조명의 위치나 물체의 위치, 스크린의 위치를 조절해야 합니다. 스크린과 조명의 위치를 그대로 두었을 때 소녀 인형의 위치를 조명에 가깝게 하면 그림자의 크기가 커지고, 조명에서 멀게 하면 그림자의 크기가 작아집니다.

그림자 연극을 할 때 조명을 무대에서 멀어지게 하면 무대 위의 종이 인형의 그림자를 동시에 작아지게 할 수 있고, 조명을 무대에 가깝게 하면 무대 위의 종이 인형의 그림자를 동시에 커지게 할 수 있습니다.

채점 기준

상	소녀 인형의 위치만 조명에 가깝게 이동한다고 쓴 경우
하	소녀 인형의 위치를 이동한다고만 쓴 경우

6 위급한 상황에서 앞에 가는 자동차의 뒷거울에 구급차 앞부분의 모습이 비춰 보일 때 '119 구급대'라는 글자가 바르게 보이게 하기 위해서 구급차의 앞부분에 '119 구급대'라는 글자의 좌우를 바꾸어 씁니다.

▲ 앞에 가는 자동차의 뒷거울에 비친 모습

채점 기준

상	앞에 가는 자동차의 뒷거울에 비춰 좌우가 바뀌면 글자가 바르게 보여 길을 양보할 수 있다고 쓴 경우
중	앞에 가는 자동차의 뒷거울에 비춰 글자의 좌우가 바뀌면 글자가 바르게 보인다고 쓴 경우
하	거울에 비춰 글자의 좌우가 바뀐다고만 쓴 경우

7 손전등 빛이 거울에 반사되어 과녁판에 닿으려면 거울의 각도를 잘 조절해야 합니다. 빛이 나아가다가 거울에 부딪치면 거울에서 빛의 방향이 바뀌는데, 이러한 빛의 성질을 빛의 반사라고 합니다.

채점 기준

상	빛이 거울에 부딪치면 빛의 방향이 바뀐다는 내용을 빛의 반사 용어를 포함하여 쓴 경우
하	빛이 거울에 부딪치면 빛의 방향이 바뀐다는 내용을 빛의 반사 용어를 포함하지 않고 쓴 경우

8 우리는 생활에서 거울을 다양하게 이용하고 있습니다. 거울은 자신의 모습을 비추어 보거나 가려져서 직접 보이지 않는 곳을 비추어 보는 데 쓰입니다. 빛이 나아가는 방향을 바꾸는 데 쓰이기도 하고 장식품이나 예술품을 만드는 데 쓰이기도 합니다.

채점 기준

상	장소와 용도를 모두 옳게 쓴 경우
중	용도만 옳게 쓴 경우
하	장소만 옳게 쓴 경우

4 화산과 지진

1 화산

1 ㉠   **2** 서후

1 마시멜로를 알루미늄 포일에 넣 고 윗부분에 빨간색 식용 색소를 뿌려 주는 것은 용암의 색깔과 비교할 수 있게 한 것입니다. 알  루미늄 포일이 산 모양이 되도록 마시멜로를 감싼 뒤에 윗 부분을 열어 두어 알루미늄 포일 안의 마시멜로가 밖으로 흘러나올 수 있게 하여 실제 화산이 분출하는 모습과 비교 할 수 있습니다.

2 화산 분출 모형실험의 연기는 기체인 화산 가스, 알루미늄 포일에서 나와 흐르는 마시멜로는 액체인 용암, 흘러나와 굳은 마시멜로는 고체인 화산 암석 조각과 비교할 수 있습 니다.

 확인 문제   83쪽

1 마그마   **2** (1) × (2) × (3) ○ (4) ×
3 (1) ㉡ (2) ㉢ (3) ㉠   **4** ㉡, 화강암
5 현무암   **6** (1) ㉠, ㉣ (2) ㉡, ㉢

1 땅속은 딱딱한 암석을 녹일 정도로 무척 뜨겁습니다. 이렇 게 땅속 깊은 곳에 암석이 녹아 있는 것을 마그마라고 합니 다. 마그마 안에는 여러 가지 가스가 많이 들어 있고, 단단 한 암석이 누르고 있으므로 마그마는 높은 압력을 받습니 다. 마그마가 분출하듯 지표 밖으로 나오는 것은 이 압력 때 문입니다. 마그마가 지표 밖으로 나오면 기체가 빠져나가고 용암이 됩니다. 뜨거운 온도의 용암은 바깥의 찬 공기를 만 나 식어서 화산을 만듭니다.

2 세계 여러 곳에는 다양한 크기와 모양의 화산이 있습니다. 화산 꼭대기에는 대부분 움푹 파여 있는 분화구가 있고, 분 화구에 물이 고여 호수가 만들어지기도 합니다. (1) 화산은 크기와 생김새가 다양합니다. (2) 화산은 경사가 급한 것도 있고 완만한 것도 있습니다. (3) 우리나라의 한라산에는 '백 록담'이라는 화구호가 있습니다. (4) 세계 여러 곳에 있는 화 산 중에는 시나붕산(인도네시아)과 같이 현재에도 활동 중 인 화산이 있습니다.

세계 여러 곳의 화산

세계 여러 곳에는 크기와 모양이 다양한 화산이 있습니다. 한라 산(우리나라)은 산꼭대기에 분화구가 있고, 킬라우에아산(미국) 은 완만한 경사를 이루며 분화구가 여러 개입니다. 후지산(일 본)은 높이가 높고 뾰족하며 산꼭대기에 분화구가 있습니다.

▲ 한라산   ▲ 킬라우에아산   ▲ 후지산

3 화산이 분출할 때 나오는 물질을 화산 분출물이라고 합니 다. 화산 분출물에는 기체인 화산 가스, 액체인 용암, 고체 인 화산재와 화산 암석 조각 등이 있습니다.

4 마그마의 활동으로 만들어진 암석을 화성암이라고 합니다. 화성암 중 대표적인 암석은 현무암과 화강암입니다. 현무암 은 마그마가 지표면 가까이에서 빠르게 식어서 만들어져 알 갱이의 크기가 매우 작고, 화강암은 마그마가 땅속 깊은 곳 에서 서서히 식어서 만들어져 알갱이의 크기가 큽니다.

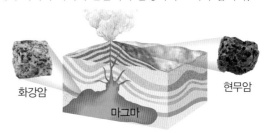

화강암   현무암   마그마

5 현무암은 마그마가 지표 가까이에서 식어서 만들어집니다. 색깔이 어둡고 맨눈으로 구별하기 어려울 정도로 알갱이의 크기가 작으며, 표면에 구멍이 있는 것도 있습니다. 제주도 에서는 현무암으로 돌담을 쌓고, 맷돌이나 돌하르방을 만듭 니다.

 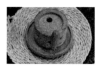

▲ 돌하르방   ▲ 맷돌

6 화산 활동은 우리 생활에 피해를 주기도 하지만 이로운 점 도 있습니다. 화산 분출물은 산불을 발생시켜 피해를 주기 도 하고, 화산재는 비행기 엔진을 망가뜨려 항공기 운항을 어렵게 하여 피해를 주기도 합니다. 하지만 땅속의 높은 열 을 온천 개발이나 지열 발전에 활용하는 등 이로운 점도 있 습니다.

▲ 산불   ▲ 온천   ▲ 지열 발전

② 지진

탐구 문제   86쪽

1 ㉢   2 ①, ⑤

1 지진이 발생하는 원인을 알아보는 실험입니다. 실험에서 양 손으로 우드록을 잡고 중심 방향으로 계속 밀면 우드록이 휘어지다가 끊어집니다. 우드록이 끊어질 때 느껴지는 손의 떨림은 실제 자연 현상에서 지구 내부에서 작용하는 힘을 받아 땅이 끊어질 때 흔들리는 것인 지진을 의미합니다.

2 우드록을 이용한 지진 발생 모형실험에서 우드록은 땅, 양 손으로 미는 힘은 지구 내부의 힘을 의미합니다. 우드록이 끊어질 때 손에 전달되는 떨림은 땅이 끊어질 때 흔들리는 떨림과 같습니다. 즉, 지진을 의미합니다.

확인 문제   87쪽

1 지진   2 지구 내부에서 작용하는 힘
3 ㉢   4 페루   5 ㉢   6 태우

1 땅은 지구 내부에서 작용하는 힘을 오랫동안 받으면 휘어지 거나 끊어지기도 합니다. 땅이 끊어지면서 흔들리는 것을 지진이라고 합니다. 지진은 화산 활동이나 지표의 약한 부 분, 지하 동굴의 함몰 등에 의해 발생하기도 합니다.

> ─(내용 플러스)─
>
> **지진**
> 지층이 지구 내부에서 작용하는 힘을 오랫동안 받으면 휘어지 다 끊어지고 진동이 발생합니다. 이 진동이 사방으로 전달되면 땅이 흔들리는데, 이와 같이 지층이 끊어지면서 흔들리는 것을 지진이라고 합니다.
> 지진이 발생했을 때 지구 내부에서 지진이 처음 발생한 곳을 진원이라고 하며, 진원의 깊이가 얕을수록 지진에 따른 피해가 큽니다. 진원의 바로 위 지표면 부분을 진앙이라고 합니다. 진 앙은 지진이 발생했을 때 가장 큰 피해를 입습니다.
>
>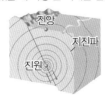
> ▲ 진원과 진앙

2 흔들림 지진판을 손으로 흔들 때 블록에 떨림이 전달되어 무너진 것처럼 지구 내부에서 작용하는 힘에 의해 지진이 일 어나면 땅의 떨림이 전달되어 건물이나 도로가 무너집니다.

> ─(내용 플러스)─
>
> **실제 지진과 지진 발생 모형실험의 비교**
> • 공통점: 흔들림 지진판을 손으로 흔들 때 블록에 떨림이 전 달되어 무너지는 것처럼 지구 내부에서 작용하는 힘에 의해 지진이 일어나면 땅의 떨림이 전달되어 건물이나 도로가 무 너집니다.
> • 차이점: 흔들림 지진판은 짧은 시간 동안 비교적 작은 힘 때 문에 흔들려 블록이 무너지지만, 지진은 오랜 시간 동안 지구 내부에서 작용하는 힘이 쌓여 큰 힘 때문에 발생합니다.

3 지진이 발생하면 건물과 도로가 무너지는 등 큰 피해를 줄 수 있습니다. 지진의 세기는 규모로 나타내고, 규모의 숫자 가 클수록 강한 지진입니다. 지진이 발생하면 약한 흔들림 을 느끼는 정도로 그칠 수도 있지만, 사람이 다치거나 건물 과 도로가 무너지는 등 인명과 재산에 큰 피해가 발생하기 도 합니다.

4 지진의 세기는 규모로 나타내고, 규모의 숫자가 클수록 강 한 지진입니다. 표를 보면 페루에서 발생한 지진이 규모 8.0 으로 가장 강한 지진입니다. 규모가 큰 지진이 발생하면 사 람이 다치고 건물과 도로가 무너지기도 합니다.

> ─(내용 플러스)─
>
> **지진의 규모에 따른 영향**
>
> | 규모 | 영향 |
> |---|---|
> | 2.0 | 일반적으로 느끼지 못하지만, 지진계에 기록됩니다. |
> | 2.0~2.9 | 어쩌면 인지할 수 있습니다. |
> | 3.0~3.9 | 몇몇이 인지합니다. |
> | 4.0~4.9 | 대부분 인지합니다. |
> | 5.0~5.9 | 피해를 입히는 진동입니다. |
> | 6.0~6.9 | 인구 밀집 지역을 파괴합니다. |
> | 7.0~7.9 | 큰 지진으로, 심한 피해를 입습니다. |
> | 8.0 | 거대한 지진으로, 진앙 부근의 마을을 파괴합니다. |
>
> ※『지구시스템의 이해』

5 최근에도 세계 여러 지역에서 큰 규모의 지진이 자주 발생 하고 있습니다. 우리나라에서도 여러 차례 지진이 발생하고 있습니다. 우리나라도 지진의 안전지대가 아닙니다. 일반적 으로 지진의 규모가 클수록 피해 정도도 커지지만 지진이 발생하면 지진 대비 정도, 지진 경보 시기, 도시화 정도 등 여러 가지 요인에 따라 피해 정도가 다릅니다.

6 지진으로 흔들리는 동안은 책상 밑으로 들어가 머리와 몸을 보호하고 책상 다리를 꼭 잡습니다. 집 안에 있을 때는 가스 밸브를 잠그고 전등을 꺼서 화재를 예방하고, 문을 열어 출구 를 확보합니다. 건물 안에 있을 때는 흔들림이 멈추면 승강기 는 이용하지 않으며 계단을 이용해 건물 밖으로 대피합니다.

 단원 평가

88~91쪽

1 ㉠ 마그마 ㉡ 분화구 **2** 용암 **3** 예 뜨거운 용암은 지표 밖으로 나오면서 식는데, 끈적끈적한 용암은 뾰족하고 높은 화산을 만들고, 물처럼 잘 퍼지는 용암은 경사가 완만한 화산을 만들기 때문입니다. **4** (4) ○

5 ㉠ 액체 ㉡ 고체 **6** 현무암 **7** ㉠

8 ③ **9** 예 온천을 개발해 관광 자원으로 활용합니다. 지열 발전에 활용해 전기를 만들고 난방을 합니다.

10 ㉣ **11** 지진 **12** 예 화산 활동과 지진이 자주 일어나는 지역의 분포가 비슷합니다. **13** (2) ○

14 ㉢ **15** ㉠ 떨림(진동) ㉡ 지진 **16** 규모

17 ⑤ **18** 내진 설계 **19** 예 지진으로 흔들릴 때 책상 아래로 들어가 머리와 몸을 보호하고, 책상 다리를 꼭 잡습니다. **20** 진영

1 화산은 마그마가 분출하여 생긴 지형입니다. 땅속 깊은 곳에서 암석이 녹은 것을 마그마라고 합니다. 화산은 크기와 생김새가 다양하고, 꼭대기에는 분화구가 있는 것도 있습니다. 화산 분화구에 물이 고여 커다란 호수나 물웅덩이가 생기기도 합니다.

---(내용 플러스)---

세계 여러 화산의 공통점과 차이점

공통점	• 화산은 마그마가 분출한 흔적이 있습니다. • 용암이나 화산재가 쌓여 주변 지형보다 높습니다.
차이점	• 화산의 경사나 높이가 다릅니다. • 화산의 생김새가 다양합니다.

---

2 화산은 황토색 점토로 만들었고, 용암이 흘러나오는 모습을 표현하기 위해 빨간색 점토를 붙였습니다. 비닐에 공기를 채워서 거꾸로 고정하여 화산 가스를 표현하였습니다.

3 뜨거운 용암은 지표 밖으로 나오면서 식는데, 끈적끈적한 용암은 뾰족하고 높은 화산(종상 화산)을 만들고, 물처럼 잘 퍼지는 용암은 경사가 완만한 화산(순상 화산)을 만듭니다.

채점 TIP 용암의 끈적한 정도의 차이로 까닭을 쓰면 정답으로 합니다.

4 세계 여러 곳에 있는 화산 중에는 시나붕산 등과 같이 현재에도 활동 중인 화산이 있습니다. ⑴ 화산이 폭발하면 사람들에게 큰 피해를 줄 수 있지만 우리에게 피해만 주는 것은 아닙니다. 온천 개발이나 지열 발전과 같이 이로운 점도 있습니다. ⑵ 화산이 분출할 때 나오는 물질을 화산 분출물이라고 합니다. 화산 분출물에는 기체인 화산 가스, 액체인 용암, 고체인 화산재, 화산 암석 조각 등이 있습니다. ⑶ 화산 활동으로 분출되는 화산 가스의 대부분은 수증기입니다.

5 화산이 분출할 때 나오는 물질을 화산 분출물이라고 합니다. 화산 분출물에는 기체인 화산 가스, 액체인 용암, 고체인 화산재와 화산 암석 조각 등이 있습니다. 화산 가스에는 여러 가지 기체가 섞여 있으며 대부분은 수증기입니다. 용암은 마그마에서 기체가 빠져나간 것을 말하고, 화산 암석 조각은 크기가 매우 다양합니다.

6 제주도는 화산 활동으로 만들어진 화산섬입니다. 제주도에서는 현무암으로 돌담을 쌓고, 맷돌이나 돌하르방을 만듭니다. 현무암은 색깔이 어둡고 표면이 거칩니다. 표면에 구멍이 있는 것도 있습니다.

---(내용 플러스)---

현무암의 특징

• 어두운색이고 촉감이 거칩니다.
• 맨눈으로 구별하기 어려울 정도로 알갱이의 크기가 매우 작습니다. ➡ 마그마가 지표 가까이에서 빠르게 식어서 만들어져 알갱이가 커질 시간이 적기 때문입니다.
• 표면에 작은 구멍이 많이 뚫려 있는 것도 있고, 구멍이 없는 것도 있습니다. ➡ 현무암 표면의 구멍은 마그마가 분출하면서 포함하고 있던 가스가 빠져나간 흔적입니다.

▲ 구멍이 있는 현무암   ▲ 가스가 빠져나간 흔적

---

7 마그마의 활동으로 만들어진 암석을 화성암이라고 합니다. 화성암 중 대표적인 암석은 현무암과 화강암입니다. 현무암은 마그마가 지표 가까이에서 식어서 만들어지고 화강암은 땅속 깊은 곳에서 식어서 만들어집니다.

8 ⑺는 화강암, ⑻는 현무암입니다. 화강암은 마그마가 땅속 깊은 곳에서 서서히 식어서 만들어지기 때문에 알갱이의 크기가 큽니다. 현무암은 지표면 가까이에서 빠르게 식어서 만들어지기 때문에 알갱이의 크기가 작습니다. 현무암은 화산이 분출할 때 마그마가 포함하고 있던 가스 성분이 빠져나가 구멍이 생기기도 합니다.

9 화산 주변 땅속의 높은 열을 이용해 온천을 개발해 관광 자원으로 활용합니다. 또한 지열 발전에 활용해 전기를 만들거나 난방을 합니다.

▲ 온천   ▲ 지열 발전

채점 TIP 온천 개발이나 지열 발전 중에서 한 가지를 쓰면 정답으로 합니다.

10 화산재의 영향으로 호흡기 질병 및 날씨의 변화가 나타나기도 하며, 비행기 엔진을 망가뜨려 항공기 운항을 어렵게 합니다. 하지만 화산재는 땅을 기름지게 하여 농작물이 자라는 데 도움을 주기도 합니다.

(**내용 플러스**)

화산 활동이 우리 생활에 주는 영향

피해	• 용암이나 화산재가 농경지를 덮습니다. • 용암이 흘러 산불이 나고 인명 피해가 발생합니다. • 화산재와 화산 가스의 영향으로 호흡기 질병 및 날씨의 변화가 나타나기도 합니다. • 화산재가 항공기 운항을 어렵게 합니다.
이로움	• 땅속의 높은 열은 온천 개발이나 지열 발전에 활용합니다. • 화산재가 땅을 기름지게 하여 농작물이 자라는 데 도움을 주기도 합니다.

11 땅은 지구 내부에서 작용하는 힘을 오랫동안 받으면 휘어지거나 끊어지기도 합니다. 땅이 끊어지면서 흔들리는 것을 지진이라고 합니다. 지진은 화산 활동에 의해 발생하기도 하고 지표의 약한 부분, 지하 동굴의 함몰 등에 의해 발생하기도 합니다.

12 화산 활동과 지진 모두 지구 내부에서 작용하는 힘 때문에 발생하는 자연 현상입니다. 화산 활동과 지진은 자주 발생하는 지역이 거의 일치합니다.

채점 TIP 화산 활동, 지진, 지역을 모두 포함하여 옳게 쓰면 정답으로 합니다.

(**내용 플러스**)

화산대와 지진대

화산 활동이 자주 일어나는 지역을 화산대라고 하고, 지진이 자주 발생하는 지역을 지진대라고 합니다. 화산대와 지진대는 한정된 지역에 좁고 긴 띠 모양으로 분포하며 거의 일치합니다.

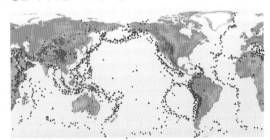

▲ 화산 활동 발생 지역   • 지진 발생 지역

▲ 화산대와 지진대

13 땅은 지구 내부에서 작용하는 힘을 오랫동안 받으면 휘어지거나 끊어지기도 합니다. 땅이 끊어지면서 흔들리는 것을 지진이라고 합니다. 지진이 발생하면 땅이 흔들리거나 갈라지고 건물이 무너지기도 합니다. 산악 지형에서는 지진으로 산사태가 발생하기도 합니다.

14 흔들림 지진판을 위아래, 양옆으로 세게 흔들었을 때 블록에 떨림이 전달되어 무너진 것처럼 지구 내부에서 작용하는 힘에 의해 지진이 일어나면 땅의 떨림이 전달되어 건물이나 도로가 무너집니다. 흔들림 지진판은 짧은 시간 동안 비교적 작은 힘 때문에 흔들려 블록이 무너지지만, 지진은 오랜 시간 동안 지구 내부에서 작용하는 힘이 쌓여 큰 힘 때문에 발생합니다.

15 양손으로 우드록을 중심 방향으로 계속 밀면 우드록이 휘어지다가 끊어집니다. 이때 손에 떨림이 느껴지는데, 이것은 실제 자연에서 땅이 끊어질 때 흔들리는 떨림과 같습니다. 지진은 땅이 지구 내부에서 작용하는 힘을 오랫동안 받아 끊어지면서 흔들리는 것입니다. 이 실험에서 우드록은 땅, 양손으로 미는 힘은 지구 내부에서 작용하는 힘, 우드록이 끊어질 때 손에 전달되는 떨림은 지진을 의미합니다.

16 지진의 세기는 규모로 나타내고, 규모의 숫자가 클수록 강한 지진입니다.

(**내용 플러스**)

지진의 규모에 따른 피해 정도
• 보통 지진의 규모가 클수록 피해 정도가 큽니다.
• 지진의 규모가 같다고 해서 피해 정도가 같은 것은 아닙니다. 같은 규모의 지진이라도 지진 대비 정도, 지진 경보 시기, 도시화 정도 등 여러 가지 요인에 따라 지진 피해 정도가 다릅니다.

17 ① 지진이 발생하면 많은 피해를 입기도 합니다. 하지만 약한 규모의 지진은 큰 피해가 발생하지 않을 수도 있습니다. ②, ④ 일반적으로 지진의 규모가 클수록 피해 정도도 크지만, 지진의 규모가 같다고 해서 피해 정도가 같은 것은 아닙니다. 같은 규모의 지진이라도 지진 대비 정도, 지진 경보 시기, 도시화 정도 등 여러 가지 요인에 따라 피해 정도가 다릅니다. ③ 우리나라에서도 여러 차례 지진이 발생하고 있습니다. 우리에게도 지진에 대비하는 자세가 필요합니다.

18 지진은 예고없이 발생하기 때문에 지진에 대비해야 합니다. 건물을 지을 때 건물의 특성, 지진의 특성 등을 고려해 지진에 안전하도록 내진 설계를 합니다.

(**내용 플러스**)

내진 설계

지진이 발생했을 때 지진에 견딜 수 있도록 건축물을 설계하는 것을 내진 설계라고 합니다. 내진 설계를 할 때는 건축물 내부 가로축을 튼튼하게 만들어 내구성을 강화하고, 흔들림에 유연하게 대응하도록 만듭니다. 우리나라는 3층 이상 또는 500 m² 이상인 모든 건축물에 내진 설계를 의무화했습니다.

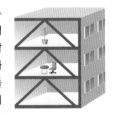

▲ 건물 벽에 대각선으로 지지대를 설치합니다.

19 지진으로 흔들릴 때 교실 안에 있을 경우 책상 아래로 들어가 머리와 몸을 보호하고, 책상 다리를 꼭 잡습니다. 흔들림이 멈추면 머리를 보호하며 선생님의 지시에 따라 넓은 장소로 신속하게 이동합니다.

채점 TIP 책상 아래로 들어가 머리와 몸을 보호한다는 내용을 쓰면 정답으로 합니다.

20 지진이 발생한 후에는 부상자가 있는지 확인하여 응급 처치를 하거나 구조 요청을 합니다. 여진이 발생할 수 있기 때문에 계속해서 재난 방송을 청취하며 올바른 정보에 따라 행동해야 합니다.

---(내용 플러스)---

지진이 발생했을 때 대처하는 방법

지진 발생 전	• 구급약품이나 비상식량 등을 준비합니다. • 흔들리는 물건을 고정합니다.
지진 발생 시	• 집 안에 있을 때는 가스 밸브를 잠그고 전등을 꺼 화재를 예방합니다. • 건물 안에 있을 때는 무거운 물건이 넘어질 염려가 있는 곳에서 멀리 피합니다. • 건물 밖에 있을 때는 간판이나 유리창 등으로부터 머리를 보호합니다. • 공공장소에 있을 때는 침착하고 질서 있게 대피합니다.
지진 발생 후	• 부상자를 처치합니다. • 재난 방송을 듣습니다.

서술형 문제

92~93쪽

1 예 화산 분출물에는 고체인 화산재와 화산 암석 조각, 액체인 용암, 기체인 화산 가스 등이 있습니다. **2** (1) **예** 대체로 밝은색 바탕에 검은색 알갱이가 보입니다. (2) **예** 맨눈으로 구별할 수 있을 정도로 알갱이가 큽니다. **3 예** 현무암은 마그마가 지표 가까이에서 식어서 만들어져 알갱이의 크기가 작습니다. **4 예** 호흡기 질병에 걸릴 수 있습니다. 비행기 엔진을 망가뜨려 항공기 운항을 어렵게 합니다. 태양 빛을 가려 동식물에게 피해를 주고 날씨가 변하게 하기도 합니다. **5** (1) 지진 (2) **예** 땅이 지구 내부에서 작용하는 힘을 오랫동안 받아 끊어지면서 흔들리는 지진이 발생합니다. **6 예** 우드록의 가운데 부분이 볼록하게 올라오면서 휘어지다가 계속 힘을 주면 우드록이 끊어집니다. **7 예** 지진 대비 정도, 지진 경보 시기, 도시화 정도 등 여러 가지 요인에 따라서 지진의 규모가 같아도 피해 정도가 다를 수 있습니다. **8** 지혜, **예** 지진으로 흔들릴 때 승강기 안에 있을 경우 모든 층의 버튼을 눌러 가장 먼저 열리는 층에서 내립니다.

1 화산 분출물에는 고체인 화산재와 화산 암석 조각, 액체인 용암, 기체인 화산 가스 등이 있습니다. 화산재는 재와 비슷하고, 화산 암석 조각의 크기는 매우 다양합니다. 용암은 마

그마가 지표면을 뚫고 나온 것으로 검붉은색을 띱니다. 화산 가스에는 여러 가지 기체가 섞여 있으며 대부분은 수증기입니다.

채점 기준

상	세 가지 상태의 화산 분출물을 모두 바르게 쓴 경우
중	두 가지 상태의 화산 분출물만 바르게 쓴 경우
하	한 가지 상태의 화산 분출물만 바르게 쓴 경우

2 화산 활동으로 만들어진 암석을 화성암이라고 합니다. 화강암은 대표적인 화성암 중 하나입니다. 화강암은 대체로 밝은색 바탕에 검은색 알갱이가 보입니다. 화강암은 땅속 깊은 곳에서 마그마가 서서히 식어서 만들어졌기 때문에 알갱이의 크기가 큽니다.

▲ 화강암

채점 기준

상	(1) 색깔과 (2) 알갱이의 크기를 모두 바르게 쓴 경우
중	(1) 색깔은 밝은색이라고 쓰고, (2) 알갱이의 크기가 크다고만 쓴 경우
하	(1) 색깔과 (2) 알갱이의 크기 중 한 가지만 바르게 쓴 경우

---(내용 플러스)---

화강암의 특징
• 밝은색이고 촉감이 거칩니다.
• 맨눈으로 구별할 수 있을 정도로 알갱이의 크기가 큽니다. ➡ 마그마가 땅속 깊은 곳에서 천천히 식어서 만들어져 알갱이가 커질 시간이 충분하기 때문입니다.
• 대체로 밝은 바탕에 검은색 알갱이가 보입니다.
• 반짝이는 알갱이가 있습니다.

3 현무암은 마그마가 지표 부근에서 빠르게 식어서 만들어지므로 알갱이들이 커질 시간이 부족해 알갱이의 크기가 작습니다. 화강암은 마그마가 땅속 깊은 곳에서 천천히 식어서 만들어지므로 알갱이들이 커질 시간이 충분해 알갱이의 크기가 큽니다.

채점 기준

상	마그마가 지표 가까이에서 식어 알갱이의 크기가 작다는 내용을 쓴 경우
중	알갱이의 크기가 작다고만 쓴 경우
하	마그마가 지표 가까이에서 식어서 만들어졌다고만 쓴 경우

4 화산 활동은 우리 생활에 피해를 주기도 하고, 이로운 점도 있습니다. 화산재에 의해 호흡기 질병에 걸리고, 비행기 엔진을 망가뜨려 항공기 운항이 어려워집니다. 태양 빛을 가려 동식물에게 피해를 주고 날씨가 변하게 하기도 합니다. 또 화산재가 농경지를 덮거나 화산재가 물과 함께 흘러 마을을 덮쳐 피해를 입히기도 합니다.

채점 기준

상	화산재로 인한 피해를 구체적으로 쓴 경우
하	병에 걸린다거나 동식물에게 피해를 준다는 표현과 같이 단순하게 쓴 경우

5 땅은 지구 내부에서 작용하는 힘을 오랫동안 받으면 휘어지 거나 끊어지기도 합니다. 땅이 끊어지면서 흔들리는 것을 지진이라고 합니다.

채점 기준

상	(1)과 (2)를 모두 바르게 쓴 경우
중	(1) 지진이라고 쓰고, (2) 지구 내부에서 작용하는 힘 때문에 발생한다고만 쓴 경우
하	(1) 지진만 바르게 쓴 경우

6 양손으로 우드록을 중심 방향으로 밀면 우드록의 가운데 부분이 볼록하게 올라오면서 휘어지다가 계속 힘을 주면 우드록이 끊어지고, 우드록이 끊어질 때 소리가 나고 떨립니다. 우드록이 끊어질 때 손에 전달되는 떨림은 땅이 끊어질 때 흔들리는 떨림을 나타냅니다.

채점 기준

상	우드록이 휘어지다가 끊어지는 과정을 바르게 쓴 경우
중	우드록이 휘어지다가 끊어진다고만 쓴 경우
하	우드록이 끊어진다고만 쓴 경우

(내용 플러스)

지진 발생 모형실험과 실제 자연 현상 비교하기

지진 발생 모형실험	실제 자연 현상
우드록	땅
양손으로 미는 힘	지구 내부에서 작용하는 힘
우드록이 끊어질 때의 떨림	지진

7 일반적으로 지진의 규모가 클수록 피해 정도도 커집니다. 하지만 지진의 규모가 같다고 해서 피해 정도가 같은 것은 아닙니다. 같은 규모의 지진이라도 지진 대비 정도, 지진 경보 시기, 도시화 정도 등 여러 가지 요인에 따라서 피해 정도가 다릅니다.

채점 기준

상	두 가지 이상의 요인을 들어 바르게 쓴 경우
중	한 가지 요인을 들어 바르게 쓴 경우
하	'다른 지역이기 때문이다.' 등을 쓴 경우

8 지진이 발생했을 때 승강기는 이용하지 않으며, 승강기 안에 있을 경우 모든 층의 버튼을 눌러 가장 먼저 열리는 층에서 내립니다.

채점 기준

상	이름과 대처 방법 모두 바르게 쓴 경우
중	이름을 쓰고, 대처 방법을 승강기에서 내린다고만 쓴 경우
하	이름만 쓴 경우

5 물의 여행

1 물의 순환

탐구 문제 104쪽

1 ⓛ   **2** 기태

1 플라스틱 컵 안에 있던 ㉠ 얼음이 녹아 물이 되고, ㉡ 이 물은 증발하여 수증기가 됩니다. 지퍼 백 안의 ㉢ 수증기는 지퍼 백 밖의 차가운 공기 때문에 응결하여 물방울이 되어 지퍼 백 아래로 떨어집니다. ㉣ 지퍼 백 안에서 물이 얼음이 되는 상태 변화는 일어나지 않습니다.

2 플라스틱 컵 안에 있던 얼음이 녹아 물이 되고 그 물의 양이 줄어들었으며, 지퍼 백 안쪽에 물방울이 맺히고 그 물방울이 흘러내려 지퍼 백 아래쪽에 물이 모였습

셀로판 테이프

지퍼 백　얼음

니다. 그러나 물의 순환 장치의 무게는 변하지 않았습니다. 이것으로 보아 물은 상태가 변하면서 끊임없이 순환하지만 전체 양은 변하지 않는다는 것을 알 수 있습니다.

확인 문제 105쪽

1 물의 순환   **2** (1) ㉡ (2) ㉢ (3) ㉠

3 ㉣ → ㉡ → ㉠ → ㉢   **4** 전기

5 ㉣   **6** (1) ○ (2) × (3) × (4) ○

1 물은 상태가 변하면서 육지, 바다, 공기 중, 생명체 등 여러 곳을 끊임없이 돌고 도는데, 이러한 과정을 물의 순환이라고 합니다. 물은 순환하지만 지구 전체 물의 양은 변하지 않습니다.

2 땅에 내린 빗물은 호수와 강, 바다, 땅속 등에 머물다가 공기 중으로 증발하거나 식물의 뿌리로 흡수되었다가 잎에서 수증기가 됩니다. 공기 중의 수증기가 하늘 높이 올라가 응결하면 구름이 되고, 다시 비나 눈이 되어 바다나 육지로 내립니다. 땅에 내린 비나 눈은 땅속으로 스며들거나(지하수) 강으로 흘러들어 바다로 흘러갑니다.

3 우리가 입으로 마신 물은 ㉣ 몸속을 순환하면서 필요한 영양분을 몸 곳곳에 운반해 주고, ㉡ 노폐물은 땀이나 오줌으로 내보냅니다. 우리 몸 밖으로 빠져나간 물 중 땀으로 나간 것은 수증기가 되고, ㉠ 오줌으로 나간 것은 하수 처리 시설을 거친 뒤 ㉢ 하천과 강을 지나 바다로 다시 흘러갑니다.

4 수력 발전의 원리는 높은 곳에 있는 물이 낮은 곳으로 떨어지면서 수차에 연결된 발전기를 돌리는 것입니다. 이때 발생된 에너지로 전기를 만듭니다.

내용 플러스

우리 생활에서 물을 이용하는 경우

▲ 생명을 유지시킵니다. ▲ 농작물을 키웁니다. ▲ 물건과 주변을 깨끗하게 만듭니다.

▲ 공장에서 물건을 만들 때 물을 이용합니다. ▲ 생선이 상하지 않도록 얼음을 이용합니다. ▲ 흐르는 물이 만든 다양한 지형을 관광 자원으로 이용합니다.

5 우리가 이용할 수 있는 물이 점점 부족해지는 까닭은 인구 증가로 물의 이용량이 많아졌지만 하수 처리 시설은 부족하여 물 오염이 심각해지고, 산업 발달로 물이 심하게 오염되고 있기 때문입니다. 이 뿐만 아니라 아프리카와 같이 비가 적게 내리고, 너무 더워서 증발되는 물의 양이 많은 지역이 있기 때문입니다. ㉣ 산업 발달로 물이 자연적으로 깨끗해지는 속도보다 오염 속도가 더 빠르기 때문에 물이 부족해집니다.

▲ 인구 증가 ▲ 산업 발달 ▲ 자연환경

6 물 부족 현상을 해결하기 위해 빗물을 모아 화단을 가꿀 때 이용하고, 기름기가 있는 그릇은 휴지로 닦고 설거지를 합니다. (2) 빨래는 더러운 옷이 생길 때마다 바로 하지 않고 모아서 한꺼번에 합니다. (3) 양치나 세수를 할 때 물을 계속 틀어 놓지 않습니다.

내용 플러스

물 부족 현상을 해결할 방법
• 빗물을 모아 이용할 수 있도록 빗물 저장 장치를 만듭니다.
• 설거지할 때나 목욕할 때 물을 계속 틀어 놓지 않도록 절수 발판을 설치합니다.
• 바닷물에 녹아 있는 소금기를 제거할 수 있는 기술을 개발하여 식수와 공업용수로 이용할 수 있게 합니다.
• 물이 심각하게 부족할 경우 인공 강우처럼 구름에 화학 약품을 뿌려 비를 내리도록 합니다.

 단원 평가 106쪽

1 ㉣ **2** ㉠ 증발 ㉡ 응결
3 (1) ○ (2) ○ (3) ○ **4** 민지 **5** ㉡
6 예 비가 적게 내리고 너무 더워서 증발되는 물의 양이 많아 물이 부족합니다.

1 지구의 물은 바닷물인 해수와 소금기가 거의 없는 담수로 구분합니다. 해수가 약 97.5%로 대부분을 차지하며, 육지의 물(담수)은 약 2.5%로 빙하, 지하수, 호수의 물과 하천수의 형태로 존재합니다. 우리가 이용하는 물은 주로 호수의 물이나 하천수를 활용하고 있으며, 부족하면 지하수를 개발하여 활용합니다. 그래서 우리가 이용할 수 있는 물의 양은 매우 적습니다.

해수 97.5% ─ 담수 2.5%
빙하 1.72% ─ 지하수 0.75%
호수의 물과 하천수 0.03%

2 땅에 내린 빗물은 호수와 강, 바다, 땅속 등에 머물다가 공기 중으로 증발하거나 식물의 뿌리로 흡수되었다가 잎에서 수증기가 됩니다. 공기 중의 수증기가 하늘 높이 올라가 응결하면 구름이 되고, 다시 비나 눈이 되어 바다나 육지로 내립니다. 땅에 내린 비나 눈은 땅속으로 스며들거나 강으로 흘러들어 바다로 흘러갑니다.

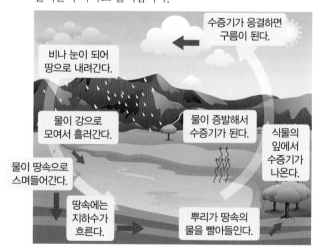

▲ 물의 순환

3 땅에 내린 빗물은 강이나 바다, 호수 등에 흘러가 공기 중으로 증발하거나 땅속에 스며들어 지하수로 흐릅니다. 식물의 뿌리로 흡수되었다가 잎에서 수증기로 증발하여 공기 중으로 나옵니다.

4 한 번 이용한 물은 없어지는 것이 아니라 돌고 돌아 다시 만날 수 있습니다. 물은 우리 생활에 다양하게 이용되므로 중요합니다. 빗물이 땅속에 스며들어 나무와 풀을 자라게 하고, 생물의 몸속을 순환하면서 생명을 유지시킵니다.

5 중국, 인도, 아프리카 등은 물이 부족해질 가능성이 있거나 물이 부족한 나라입니다. 우리나라도 물이 부족한 나라 중 하나입니다. 이용할 수 있는 물이 풍부한 곳이 있는가 하면 심각하게 부족한 곳도 있습니다.

물 부족 현황 단계
●●●●물이 충분해요.　물이 부족할 수 있어요.
　●물이 부족해요.　●물이 많이 부족해요.

▲ 나라별 물 부족 현황

6 아프리카와 같이 비가 적게 내리고 너무 더워서 증발되는 물의 양이 많은 지역은 물이 부족합니다.

채점 TIP 아프리카가 비가 적게 내리고 더운 지역이라 증발되는 물의 양이 많기 때문이라고 쓰면 정답으로 합니다.

107쪽

1 예 공기 중의 수증기가 하늘 높이 올라가 응결하면 구름이 됩니다.　**2** 예 식물의 뿌리가 땅속의 물을 빨아들입니다. 식물의 잎에서 물이 증발하여 수증기가 되어 공기 중으로 나옵니다.　**3** 예 몸을 씻거나 물건을 깨끗하게 만듭니다. 물을 마셔야 생명을 유지할 수 있습니다.　**4** 예 우리가 이용할 수 있는 담수가 부족해지고 있기 때문입니다.

1 바다에서 물이 증발하여 수증기가 됩니다. 수증기가 하늘 높이 올라가 응결하여 구름이 됩니다. 구름은 비나 눈이 되어 땅으로 내려옵니다.

수증기가 응결해서 구름이 된다.
구름
수증기
비나 눈이 되어 땅으로 내려간다.
바다로 흘러간다.
지하수가 흐른다.
물이 증발해서 수증기가 된다.

▲ 물의 순환

채점 기준

상	수증기가 응결하여 구름이 된다고 쓴 경우
중	수증기가 구름이 된다고 쓴 경우
하	구름이 된다고 쓴 경우

2 땅에 내린 빗물은 호수와 강, 바다, 땅속 등에 머물다가 공기 중으로 증발하거나 식물의 뿌리로 흡수됩니다. 뿌리로 흡수된 물은 줄기를 따라 위로 올라가 잎까지 이동한 후, 잎에서 수증기로 증발되어 공기 중으로 나옵니다.

채점 기준

상	뿌리가 물을 흡수하는 과정이나 잎에서 물이 수증기로 증발하여 공기 중으로 나오는 과정 중 한 가지를 정확히 쓴 경우
중	식물이 물을 흡수한다고만 썼거나 식물에서 물이 빠져나간다고만 쓴 경우
하	식물 안에 물이 있다고만 쓴 경우

3 몸을 씻거나 물건을 깨끗하게 만들 때 물을 이용하며, 물을 마셔야 생명을 유지할 수 있습니다. 또 식물이나 동물을 키울 때, 요리할 때, 청소할 때에도 물을 이용합니다. 수증기나 얼음을 이용하는 경우도 포함됩니다.

채점 기준

상	물을 이용하는 경우를 두 가지 모두 옳게 쓴 경우
하	물을 이용하는 경우를 한 가지만 옳게 쓴 경우

4 지구에 있는 물은 순환하며 물의 양은 변하지 않습니다. 그러나 우리가 이용할 수 있는 물은 점점 부족해지고 있기 때문에 물 부족 현상을 해결하려는 노력이 필요합니다. 많은 나라에서는 바닷물을 우리가 이용할 수 있는 생활용수나 공업용수로 바꾸는 해수 담수화 기술을 연구하고 있습니다.

채점 기준

상	우리가 이용할 수 있는 담수가 부족해지기 때문이라고 쓴 경우
하	물이 부족해지기 때문이라고 쓴 경우

（ 내용 플러스 ）

해수 담수화

해수 담수화란 바닷물에 녹아 있는 염분을 제거하여 담수로 만드는 것입니다. 해수 담수화 기술에는 증류법, 냉동법 등이 있습니다. 증류법은 바닷물을 수증기가 되는 온도 이상으로 가열해 바닷물에서 순수한 물만 증발시키는 방법으로, 바닷물을 증발시키기 위해 바닷물을 끓일 때 많은 에너지를 사용해야 한다는 단점이 있습니다. 냉동법은 바닷물이 얼음이 될 때 바닷물에 들어 있는 염분은 빠지고 순수한 물만 얼음이 되는 원리를 이용하는 방법으로, 바닷물을 얼게 만들기가 어렵다는 단점이 있습니다.

2권

하이탑 초등 과학 4학년

정답과 해설

1학기

2. 지층과 화석 54쪽
3. 식물의 한살이 57쪽
4. 물체의 무게 60쪽
5. 혼합물의 분리 63쪽

2학기

1. 식물의 생활 66쪽
2. 물의 상태 변화 69쪽
3. 그림자와 거울 72쪽
4. 화산과 지진 75쪽
5. 물의 여행 78쪽

2 지층과 화석

1 ⑩ 수평인 지층은 아래에 있는 층이 먼저 쌓이고 그 위에 새로운 층이 쌓여 만들어지므로 아래에 있는 층이 위에 있는 층보다 먼저 쌓인 것입니다. 따라서 ② → © → © 순서로 지층이 쌓인 후 지층이 선분 AB를 기준으로 끊어져 어긋났습니다. 그 후에 ① 지층이 쌓여 전체를 덮었습니다.

2 ©, ⑩ 지층에 양쪽에서 미는 힘이 작용하면 상반이 하반에 대하여 위쪽으로 이동하게 되기 때문입니다.

3 ⑩ 흐르는 물에 자갈과 모래가 밀려와 쌓여 단단해진 뒤 지각이 솟아올라 만들어진 것이므로 마이산은 주로 역암으로 되어 있을 것입니다.

4 ⑩ 퇴적물 알갱이의 크기가 하나의 지층 내에서 위로 갈수록 점점 작게 변하는 구조는 물의 깊이가 깊고 흐르는 물의 속도가 빠르지 않은 환경에서 만들어집니다. 다양한 알갱이가 섞인 퇴적물이 흐르는 물에 의해 빠르게 이동하다가 물의 이동 속도가 갑자기 느려지면 무거운 큰 알갱이부터 가라앉고 나중에 가벼운 작은 알갱이들이 가라앉아야 만들어질 수 있습니다.

5 ⑩ 옛날에 살았던 생물의 몸체뿐만 아니라 발자국이나 기어간 흔적 등 생활한 흔적도 화석이기 때문에 초식 공룡이 소화를 위해 삼킨 위석도 화석으로 볼 수 있습니다. 돌을 삼킨 공룡 화석과 같이 발견될 경우 확실한 위석이라고 볼 수 있습니다. 공룡알 화석의 경우 공룡으로 아직 태어나지 않았지만 알 자체가 생물의 몸체와 같으므로 화석입니다.

6 ⑤, ⑩ (가) 지역의 A 지층은 (나), (다) 지역의 삼엽충 화석이 발굴된 지층과 연결되기 때문에 A 지층에서는 고사리 화석이 발굴될 수는 없습니다.

7 ⑩ 껍데기는 단단한 부분이라 화석으로 남을 수 있었지만 몸체는 부드러워 오랜 시간이 지나면서 녹아 없어졌기 때문에 화석으로 남아 있지 않습니다.

8 ⑩ ·과정 ❶에서 찰흙 반대기 위에 조개껍데기를 올려놓고 손으로 눌렀다가 떼어낼 때 단단한 물체일수록 자국이 잘 남으므로 생물의 몸체에 단단한 부분이 있어야 화석이 잘 만들어진다는 조건이 적용된 것입니다.
·과정 ❷에서 찰흙 반대기에 생긴 조개껍데기 자국에 알지네이트 반죽을 붓는 과정은 생물의 몸체 위에 퇴적물이 쌓여야 화석이 잘 만들어진다는 조건이 적용된 것입니다.

1 지층은 진흙, 모래, 자갈 등의 퇴적물이 흐르는 물에 실려 강이나 바다로 운반되다가, 물의 흐름이 느려지는 강바닥이나 바다 밑에 쌓여 만들어집니다. 이때 먼저 운반된 퇴적물이 아래에 쌓이고, 나중에 운반된 퇴적물은 그 위에 쌓이며, 이렇게 쌓인 퇴적물이 오랜 시간 동안 다져지고 굳어져 지층이 만들어집니다. 따라서 지층의 아래에 있는 층은 위에 있는 층보다 먼저 쌓인 것입니다. 지층이 지구 내부에서 작용하는 큰 힘을 오랫동안 받으면 휘어지기도 하고 끊어져 어긋나기도 합니다.

채점 TIP ② → © → © 순서로 지층이 쌓인 후, 선분 AB를 기준으로 지층이 끊어져 어긋난 이후에 ① 지층이 쌓였다는 내용을 썼으면 정답으로 합니다.

─(내용 플러스)─
지층
지층은 진흙, 모래, 자갈 등으로 이루어진 암석들이 층을 이루고 있는 것으로, 산기슭, 바닷가의 절벽 등에서 볼 수 있습니다. 지층은 줄무늬가 보이는데, 이 줄무늬를 층리라고 합니다. 층리는 평행하게 나타나거나 곡선, 파도 모양으로 나타나기도 하며, 연속적 또는 비연속적으로 나타납니다. 지층이 수평인 지층, 휘어진 지층, 끊어진 지층, 기울어진 지층 등 모양이 다양한 까닭은 땅속에서 작용하는 지구 내부의 힘의 세기에 따라 모양이 달라지기 때문입니다.

2 ©과 같이 지층이 양쪽에서 미는 힘에 의하여 상반이 하반에 대하여 상대적으로 위쪽으로 이동한 단층을 역단층이라고 합니다. 역단층은 지층이 위쪽으로 이동하면서 겹치는 부분이 생기므로 지표의 면적이 감소합니다. ①은 지층이 양쪽에서 잡아당기는 힘에 의하여 상반이 하반에 대하여 상대적으로 아래쪽으로 이동한 단층으로, 정단층이라고 합니다. 정단층은 동일한 지층 사이의 거리가 멀어져서 지표의 면적이 증가합니다.

채점 TIP ©을 옳게 쓰고, 지층에 양쪽에서 미는 힘이 작용하면 상반이 하반에 대하여 위쪽으로 이동하기 때문이라는 내용을 썼으면 정답으로 합니다.

─(내용 플러스)─
단층
단층은 지층에서 약한 부분을 따라 끊어진 뒤 두 부분으로 나뉘어지며 어긋난 구조로, 이때 끊어진 면을 단층면이라고 합니다. 경사진 단층면을 경계로 해서 위쪽에 있는 지층을 상반, 아래에 있는 지층을 하반이라고 합니다. 경사진 단층면을 따라 상반이 하반보다 아래로 내려가면 정단층, 상반이 하반보다 위로 올라가면 역단층이라고 하며, 단층면을 따라 상반과 하반이 수평으로 움직이면 주향 이동 단층이라고 합니다. 수직으로 움직이면 수직 단층이라고 합니다.

▲ 정단층

▲ 역단층

▲ 주향 이동 단층

3 마이산은 큰 홍수로 진안 분지에 자갈과 모래가 밀려와 쌓여 단단해진 뒤 지각이 솟아올라 만들어진 것이므로, 마이산은 주로 역암으로 되어 있을 것입니다.

채점 TIP 흐르는 물에 자갈과 모래가 밀려와 쌓여 만들어진 것이므로 마이산은 주로 역암으로 되어 있다는 내용을 썼으면 정답으로 합니다.

─(**내용 플러스**)─
퇴적암
흐르는 물이 운반한 진흙, 모래, 자갈 등의 퇴적물이 굳어서 만들어진 암석을 퇴적암이라고 합니다. 퇴적암은 알갱이의 크기에 따라 이암, 사암, 역암 등으로 나눌 수 있습니다. 이암은 진흙과 같이 작은 알갱이로 되어 있고, 사암은 주로 모래로 되어 있으며, 역암은 주로 자갈, 모래 등으로 되어 있습니다. 퇴적암을 이루고 있는 물질을 통해 퇴적암이 만들어질 당시의 환경을 알 수도 있는데, 예를 들어 화산재가 대기를 거쳐 다른 곳으로 이동한 후 쌓여 만들어진 응회암이 발견된 지역은 과거에 화산 활동이 있었음을 알 수 있고, 바닷물이 증발하여 소금이 광물로 된 암염이 발견된 지역은 과거에 기후가 건조했다는 것을 알 수 있습니다.

▲ 이암   ▲ 역암   ▲ 응회암   ▲ 암염

4 퇴적물이 흐르는 물에 의해 빠르게 이동하다가 물의 속도가 갑자기 느려질 때 크고 무거운 알갱이가 먼저 가라앉고 이후 작고 가벼운 알갱이들이 서서히 가라앉아서 만들어진 퇴적 구조입니다. 이러한 구조를 점이 층리라고 하며, 한 지층 내에서 아래에서 위로 갈수록 알갱이의 크기가 점점 작아집니다.

─ 대륙붕
대륙 사면   저탁류
대륙대
▲ 점이 층리의 형성

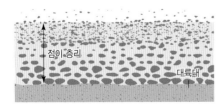
점이 층리
대륙대
▲ 점이 층리

채점 TIP 퇴적물이 흐르는 물에 의해 빠르게 이동하다가 물의 이동 속도가 갑자기 느려지면 무거운 알갱이가 먼저 가라앉고 가벼운 알갱이가 그 위에 가라앉아서 만들어진다는 내용을 썼으면 정답으로 합니다.

5 위석은 초식 공룡의 위 속에서 서로 부딪치고 구르면서 거친 나뭇잎을 곱게 가는 역할을 했습니다. 위석 표면의 높게 솟은 부분은 매끈하게 닳아 있지만 움푹 들어간 곳은 닳아 있지 않다는 점이 물이나 바람에 의해 깎인 돌과의 차이점입니다. 공룡의 알 화석은 둥지 형태로도 발견되는데, 새끼 공룡의 화석과 함께 발견된 것도 있습니다. 알 화석의 크기나 모양은 어떤 공룡의 알인지를 구분하는 정보를 주기도 합니다.

채점 TIP 위석은 공룡이 생활한 흔적이기 때문에 화석으로 볼 수 있고, 공룡알 화석은 공룡알 자체가 생물의 몸체와 같으므로 화석으로 볼 수 있다는 내용을 썼으면 정답으로 합니다.

─(**내용 플러스**)─
화석
옛날에 살았던 생물의 몸체와 생물이 생활한 흔적이 남아 있는 것을 화석이라고 합니다. 따라서 초식 공룡의 위석, 공룡알, 동물이 기어간 흔적, 호박 속의 곤충, 얼음 속의 매머드 등도 화석입니다. 화석은 종류가 매우 다양하며, 거대한 공룡의 뼈에서부터 현미경으로 관찰할 수 있는 작은 생물까지 그 크기도 다양합니다. 화석은 최소한 만들어진 뒤 약 1만 년 이상 되어야 하며, 오늘날에 살고 있는 생물과 비교하여 화석 속 생물이 동물인지 식물인지 구분할 수 있습니다.

6 (가)~(다) 지역의 지층에서 공통으로 발굴된 방추충 화석이 포함된 지층을 기준으로 하여 지층을 연결하면 (나) 지역에는 삼엽충 화석이 발굴되는 지층과 방추충 화석이 발굴되는 지층 사이에 사암층이 없는 것을 알 수 있습니다. 이것은 두 지층 사이에 오랫동안 퇴적이 중단된 시기가 존재한다는 것을 의미합니다. (다) 지역의 맨 위의 지층에서 육지에 사는 고사리 화석이 발굴되므로 이 지층은 육지에서 퇴적되었다는 것을 알 수 있습니다.

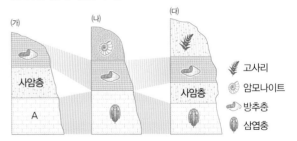
(가)   (나)   (다)
사암층   A   사암층
🌿 고사리
🐚 암모나이트
🦐 방추충
🐛 삼엽충

채점 TIP ㉠을 쓰고, A 지층은 (나)와 (다)의 삼엽충 화석이 발굴된 지층과 연결되기 때문에 고사리 화석이 나올 수 없다는 내용을 썼으면 정답으로 합니다.

─(**내용 플러스**)─
화석과 지층
화석을 기준으로 멀리 떨어져 있는 지층을 비교할 수 있으며 지층이 쌓인 순서도 알 수 있습니다. 특정 화석(방추충 화석)이 들어 있는 지층에서 석탄과 석유를 찾을 수 있습니다. 그 까닭은 석탄과 석유는 특정 지층에서만 발견되며, 그 지층에 특정한 화석(방추충 화석)이 들어 있는 경우가 많기 때문입니다.

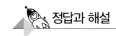

7 암모나이트는 현재는 멸종했기 때문에 화석으로 발견되지 않은 부드러운 부분에 대한 정보가 거의 없습니다. 암모나이트의 생활 방식 등을 파악하는 것은 매우 제한되어 있으나 퇴적된 환경이나 껍데기의 모양 등으로 대부분이 물속에서 헤엄치며 육식을 했을 것으로 추정하고 있습니다.

▲ 암모나이트 추정 모습

채점 TIP 암모나이트의 껍데기는 단단해서 화석으로 남을 수 있었지만 몸체는 부드러워서 화석으로 남지 못했다는 내용을 썼으면 정답으로 합니다.

8 과정 ❶에서 찰흙 반대기 위에 조개껍데기를 올려놓고 손으로 눌렀다가 떼어낼 때 단단한 물체일수록 찰흙 반대기에 자국이 잘 남습니다. 따라서 과정 ❶은 생물의 몸체에 동물의 껍데기, 뼈, 이빨, 식물의 잎, 줄기 등과 같이 단단한 부분이 있어야 화석이 잘 만들어진다는 조건이 적용된 것입니다. 과정 ❷에서 찰흙 반대기에 생긴 조개껍데기 자국에 자국이 모두 덮이도록 알지네이트 반죽을 붓는 과정은 생물의 몸체 위에 퇴적물이 쌓여야 화석이 잘 만들어진다는 조건이 적용된 것입니다.

❶ 찰흙 반대기 / 조개껍데기

❷ 알지네이트 반죽

채점 TIP 과정 ❶에서 조개껍데기의 자국이 남는 것은 생물의 단단한 몸체에 대한 조건이고, 과정 ❷에서 조개껍데기 자국에 알지네이트 반죽을 붓는 것은 퇴적물이 쌓이는 것에 대한 조건이라는 내용을 알맞게 썼으면 정답으로 합니다.

과학 탐구 대회 실전 **발명품** 15쪽

● **발명품 도안**
㉐
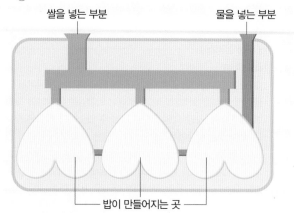
쌀을 넣는 부분 / 물을 넣는 부분 / 밥이 만들어지는 곳

● **발명품 이름** ㉐ 하트 밥솥

● **발명품 소개**
버튼을 누르면 한 공기에 적당한 양의 쌀이 하트 모양의 틀로 들어가고 그곳에서 밥이 되는 발명품입니다. 화석과 같이 처음에는 비어 있는 공간에 다른 물질이 채워진 후 다져져 그 모양이 만들어지는 원리를 이용한 것입니다. 일반적인 밥솥으로 밥을 지어서 하트 모양으로 뭉치면 밥알이 눌리는데, 하트 모양의 틀에 쌀을 넣어 밥을 지으면 밥알의 모양이 유지되게 할 수 있습니다.

3 식물의 한살이

1 예 온도와 습도가 높은 열대 기후에서 견디고 빛이 부족한 그늘진 곳에서도 씨가 싹 터서 자라기 위해 많은 양의 양분이 필요합니다. 즉, 씨에 양분이 많이 저장되어 있기 때문에 열대 과일의 씨의 크기가 보통의 과일보다 큽니다.

2 민수, **예** 물을 너무 많이 주면 공기가 잘 통하지 않아 씨가 썩을 수 있지만 물을 주지 않으면 씨가 말라 싹 트기 어렵기 때문에 적당한 양의 물을 주어야 합니다.

주희, **예** 온도가 높으면 벌레나 곰팡이가 생기기 쉽지만 온도가 너무 낮으면 씨가 싹 트기 어렵기 때문에 적당한 온도(상온)를 유지해야 합니다.

3 예 옥수수를 말리지 않으면 씨에 있는 수분에 의해 겨울에 씨가 얼거나 곰팡이가 생겨 썩을 수 있기 때문에 말려서 보관합니다.

4 예 빛의 세기가 강해질수록 광합성으로 만들어지는 산소의 양이 늘어나지만, 어느 정도 이상의 빛에서는 산소의 양이 늘어나지 않습니다.

5 예 유리 상자 같은 것을 만들어서 안쪽에서 식물이 숨 쉴 수 있도록 공기를 공급해 주고, 물탱크를 설치하여 지구에서 운반해 온 물을 공급해 줍니다. 온도가 유지될 수 있도록 온도 조절 장치와 빛을 제공해 줄 수 있는 인공 조명 장치를 설치합니다.

6 예 베트남은 겨울에도 온도가 낮지 않고 씨가 싹 트고 자랄 정도의 온도를 유지하기 때문에 일 년 동안 벼농사를 여러 번 지을 수 있습니다. 우리나라는 겨울철 온도가 영하로 내려가 벼를 재배하는 논의 물이 얼고 벼도 추운 환경에서는 자라지 못하기 때문에 벼농사는 일 년에 한 번만 지을 수 있습니다.

7 예 줄기 가운데 부분의 나이테의 간격이 넓은 것으로 보아 초기에는 나무가 빨리 큰 것을 알 수 있으며, 이때 비가 잘 와서 수분이나 영양분을 잘 공급받은 것 같습니다. 줄기 바깥쪽 나이테의 간격이 좁은 것으로 보아 최근에는 가뭄 등으로 나무가 빨리 성장하지 못한 것 같습니다. 또 중간에 상처가 있는 것으로 보아 나무가 자라면서 병균이나 벌레에 의해 피해를 입었던 것 같습니다.

8 예 매화, 난초, 국화, 대나무는 여러 해 동안 한살이가 반복되는 여러해살이 식물입니다.

---

1 씨가 싹 트려면 적당한 양의 물과 적당한 온도가 필요하며, 식물이 잘 자라기 위해서는 적당한 양의 물과 온도, 빛 등이 필요합니다. 아보카도가 자라는 열대 지역은 기온과 습도(공기 중에 포함된 수증기의 양)가 높으며, 숲이 울창해 그늘진 곳이 많아 햇빛이 부족하고 뿌리를 뻗을 장소도 부족합니다. 이러한 열대 지역의 환경에서 씨가 싹 트고 잘 자라기 위해서는 많은 양의 양분이 필요하며, 이때 필요한 양분이 씨에 저장되어 있습니다. 즉 아보카도와 같은 열대 과일의 씨가 보통의 과일보다 큰 까닭은 씨에 많은 양의 양분이 저장되어 있기 때문입니다.

채점 TIP 씨가 온도와 습도가 높은 환경에서 싹 트고 빛이 부족한 곳에서 잘 자라기 위해서는 많은 양의 양분이 필요하기 때문이라는 내용을 썼거나 씨에 양분이 많이 저장되어 있기 때문이라는 내용을 썼으면 정답으로 합니다.

---(**내용 플러스**)---

• **식물의 씨**

식물의 종류에 따라 씨의 모양, 색깔, 크기 등이 다양합니다. 볍씨처럼 길쭉한 것도 있고 봉숭아씨처럼 동그란 것도 있으며, 호두처럼 크기가 큰 것도 있지만 채송화씨처럼 매우 작은 것도 있습니다. 또 강낭콩처럼 검붉은색인 것도 있고 참외씨처럼 연한 노란색인 것도 있습니다. 그러나 대부분의 씨는 단단하고 껍질이 있으며 크기가 주먹보다 작습니다.

• **씨가 퍼지는 방법**

식물의 씨는 다양한 방법으로 퍼집니다. 수박, 딸기, 참외 등과 같이 맛이 좋고 색이 눈에 잘 띄는 열매는 주로 동물에게 먹혀서 씨가 퍼집니다. 봉숭아, 제비꽃, 콩 등은 꼬투리가 터져서 씨가 퍼집니다. 깃털이 달린 민들레 씨, 날개가 달린 소나무 씨와 단풍나무 씨 등은 바람에 날려서 퍼집니다. 또 가시나 갈고리가 있어 동물의 몸에 붙어서 퍼지는 씨도 있는데, 가막사리, 도깨비바늘, 도둑놈의갈고리 등이 있습니다. 연꽃 씨, 수련 씨 등과 같이 열매 속에 공기 주머니가 있어 물에 떠서 퍼지는 씨도 있습니다.

▲ 민들레 씨

▲ 단풍나무 씨

▲ 도깨비바늘

▲ 연꽃 씨

• **씨의 양분**

씨가 싹 트기 위해서는 양분이 필요합니다. 감씨, 사과 씨, 볍씨 등과 같이 배와 배젖으로 이루어져 있는 씨의 경우 배젖에 양분을 저장하고, 강낭콩, 완두콩 등과 같이 배젖이 없는 씨는 떡잎에 양분을 저장합니다.

2 적당한 양의 물과 적당한 온도, 빛은 씨가 싹 트고 자라는 데 반드시 필요합니다. 씨를 흙 속 적당한 깊이로 심어야 씨가 썩지 않고 물이 있는 환경에서 싹 틀 수 있습니다. 온도가 너무 낮으면 씨가 싹 트기 어렵기 때문에 온도는 약 15~30 ℃를 유지해야 합니다. 빛은 식물의 종류에 따라 많이 필요한 것과 필요하지 않은 것이 있으니 빛의 양을 조절해 줄 필요가 있습니다.

채점 TIP '민수'의 이름을 쓰고 적당한 양의 물을 주어야 한다는 내용과 '주희' 이름을 쓰고 적당한 온도를 유지해야 한다는 내용을 썼으면 정답으로 합니다.

3 옥수수를 수확한 뒤 다음 해에 심을 씨로 쓸 것은 껍질이 노랗게 말랐을 때 딴 다음, 껍질을 벗겨 적당히 건조하고 그늘 진 곳에 매달아 둡니다.

채점 TIP 옥수수를 말리지 않으면 겨울에 얼거나 곰팡이가 생길 수 있다는 등의 알맞은 내용을 썼으면 정답으로 합니다.

4 빛의 세기가 강해질수록 식물의 광합성량도 증가하지만, 빛의 세기가 어느 정도 이상이 되면 광합성량은 더 이상 증가하지 않고 일정하게 유지됩니다.

채점 TIP 빛의 세기가 강해질수록 만들어지는 산소의 양이 늘어나지만 일정 세기 이상의 빛에서는 산소의 양이 더 이상 늘어나지 않는다는 내용을 썼으면 정답으로 합니다.

(내용 플러스)

광합성

식물이 빛, 물, 이산화 탄소를 이용하여 살아가는 데 필요한 양분을 스스로 만드는 것을 광합성이라고 합니다. 광합성을 통해 만들어지는 최초의 양분은 포도당으로, 녹말로 바뀌어 잎에 일시적으로 저장됩니다. 광합성을 통해 산소도 만들어지는데, 산소 중 일부는 식물 자체의 호흡에 쓰이고 나머지는 기공을 통해 공기 중으로 빠져나갑니다.

광합성량은 빛의 세기, 이산화 탄소의 농도, 온도의 영향을 받습니다. 빛의 세기가 증가할수록 광합성량이 증가합니다. 그러나 일정 세기 이상에서는 더 이상 증가하지 않고 일정해지는데, 광합성은 일정한 개수의 엽록체에서 일어나므로 아무리 많은 빛이 공급되어도 광합성을 할 수 있는 한계가 있기 때문입니다. 이산화 탄소의 농도가 높을수록 광합성량이 증가합니다. 그러나 일정 농도 이상에서는 더 이상 증가하지 않고 일정해집니다. 빛과 마찬가지로 아무리 많은 이산화 탄소가 공급되어도 광합성을 할 수 있는 한계가 있기 때문입니다. 온도가 올라갈수록 광합성량은 증가합니다. 그러나 온도가 높아지면 식물체를 이루는 단백질이 변하여 그 성질을 잃기 때문에 40 ℃ 이상에서는 오히려 급격히 감소합니다.

▲ **식물 잎의 현미경 사진:** 초록색의 동글동글한 엽록체가 관찰된다. 엽록체는 광합성이 일어나는 장소이다.

5 달에는 물과 공기가 없고, 2주 동안은 밤이 계속되어 빛이 없으며, 기온이 약 영하 150 ℃로 낮습니다. 따라서 물, 공기, 빛, 온도 조건을 모두 만족할 수 있는 방법이 필요합니다.

채점 TIP 식물이 자라는 데 필요한 공기, 빛, 온도, 물의 조건을 모두 해결할 수 있는 방법을 알맞게 썼으면 정답으로 합니다.

(내용 플러스)

식물이 잘 자라기 위해 필요한 조건

식물이 잘 자라려면 적당한 양의 물이 필요합니다. 물은 식물이 광합성을 할 때 이산화 탄소와 함께 흡수하여 포도당을 합성하는 데 사용되고, 양분이나 무기질을 이동하는 운반 기능에도 쓰이며, 물은 식물체의 형태를 유지할 수 있도록 해 주기 때문입니다. 식물이 잘 자라게 하려면 물 이외에도 빛이 필요합니다. 식물은 빛을 이용하여 살아가는 데 필요한 양분을 스스로 만들기 때문입니다. 물과 빛 외에 이산화 탄소, 알맞은 온도, 양분 등도 필요합니다.

6 벼는 15~40 ℃ 사이에서 잘 자랍니다. 네 달 정도의 기간이 필요한 벼농사는 우리나라에서 일 년에 한 번 지을 수 있는데, 일반적으로 봄에서 가을까지 재배하고 수확합니다. 열대 기후인 베트남은 겨울철에도 기온이 약 20 ℃가 넘기 때문에 벼의 성장 속도가 빨라 일 년에 세 번까지도 벼농사가 가능합니다.

채점 TIP 베트남은 일 년 내내 기온이 높기 때문에 여러 번 농사를 지을 수 있지만, 우리나라는 겨울에 기온이 낮아 벼농사를 한 번만 지을 수 있다는 내용을 썼으면 정답으로 합니다.

(내용 플러스)

벼의 한살이

벼는 한해살이 식물로, 한 해 안에 한살이를 거치고 일생을 마칩니다. 벼의 한살이 과정은 다음과 같습니다.

❶ 볍씨에서 뿌리와 떡잎싸개가 나옵니다.
❷ 떡잎싸개에 싸여 본잎이 나옵니다.
❸ 잎과 줄기가 자랍니다.
❹ 꽃이 핍니다.
❺ 표면이 거칠거칠한 노란색의 열매(볍씨)가 달립니다.

7 나이테는 나무를 가로로 잘랐을 때 보이는 짙은 색의 동심원으로, 계절 변화에 따른 성장의 차이에 의해 생기기 때문에 보통 일 년에 한 개의 고리가 생깁니다. 나이테의 개수를 보고 나무의 나이를 짐작할 수 있습니다. 대체로 봄과 여름에는 색깔이 연하고 면적이 넓으며, 가을부터는 성장 속도가 급격히 감소하여 조직이 치밀하고 색깔이 진합니다.

채점 TIP 초기에는 나이테의 간격이 넓어 나무가 빨리 클 수 있는 환경이었고, 나이테의 간격이 점점 좁아지는 것으로 보아 자라는 속도가 느려졌다는 것, 병균이나 벌레에 의해 피해를 입었을 것이라는 내용 등을 알맞게 썼으면 정답으로 합니다.

---(**내용 플러스**)---

나이테

봄과 여름에는 햇빛이 강하고 물도 충분하기 때문에 나무를 구성하는 세포가 빠르게 자라며, 이때 만들어진 세포는 크고 세포벽도 얇아서 부드럽고 연한 색을 띱니다. 그러나 가을과 겨울에는 햇빛이 강하지 않고 물도 충분하지 않기 때문에 나무를 구성하는 세포가 천천히 자라며, 이때 만들어진 세포는 작고 세포벽도 두꺼워서 단단하고 진한 색을 띱니다. 이런 과정이 해마다 반복되면서 연한 색의 원과 진한 색의 원이 겹겹이 쌓여 나이테를 형성합니다. 사계절이 뚜렷한 나라에서는 일 년에 한 개씩 나이테가 만들어지기 때문에 나이테의 개수를 세어 보면 나무의 나이를 어림할 수 있습니다. 나이테를 살펴보면 폭이 넓은 것도 있고 폭이 좁은 것도 있는데, 비가 많이 오고 햇빛을 많이 받아 나무가 많이 자란 해에는 나이테의 폭이 넓고, 가뭄이 들거나 햇빛을 많이 받지 못해 나무가 조금 자란 해에는 나이테의 폭이 좁습니다. 그래서 나이테의 폭이 좁을 때는 그 해에 가뭄이 심하게 들었다는 것을 추측할 수 있습니다. 열대 지역 등과 같이 일 년 내내 날씨가 같은 곳에서 자라는 나무에는 나이테가 없습니다. 그 까닭은 일 년 내내 나무가 같은 속도로 자라기 때문입니다.

8 봄을 알리는 매화는 잎보다 꽃이 먼저 피는 나무로, 높이는 5 m 정도 자랍니다. 난초는 떡잎이 한 개인 여러해살이풀입니다. 높이 1 m 정도까지 자라는 국화와 높이 20 ~ 30 m까지 자라는 대나무는 여러해살이풀입니다.

채점 TIP 사군자의 식물은 여러 해 동안 한살이가 반복되는 여러해살이 식물이라는 내용을 썼으면 정답으로 합니다.

---(**내용 플러스**)---

한해살이 식물과 여러해살이 식물

한 해 동안 한살이를 거치고 일생을 마치는 식물을 한해살이 식물이라고 하며, 한해살이 식물은 모두 풀입니다. 여러 해 동안 살면서 한살이를 반복하는 식물을 여러해살이 식물이라고 하며, 나무는 모두 여러해살이 식물입니다. 여러해살이 식물 중에는 민들레, 비비추 등과 같은 풀도 있습니다. 한해살이 식물과 여러해살이 식물은 모두 씨가 싹 터서 자라며, 꽃이 피고 열매를 맺어 번식한다는 공통점이 있습니다.

• **근거 및 까닭**

㉠ 바이오 연료의 생산을 위해 숲을 없애고 논과 밭을 많이 만들면 석탄이나 석유 등과 같은 화석 연료를 사용할 때보다 자연을 더 많이 파괴할 것이기 때문입니다. 또 바이오 연료를 위한 식물을 인위적으로 키우면 오히려 사람이나 가축의 식량으로 사용되는 농작물을 키울 공간이 부족해져 생산량이 줄어들 것이고, 식량 부족 현상이 발생할 것입니다. 그로 인해 식량의 가격은 계속 비싸질 것입니다.

• **상대 의견에 대한 예상 질문**

㉠ 찬성 의견에 대한 질문
　– 식물을 잘 자라게 하기 위해 비료나 농약을 대량으로 뿌리게 되면 환경이 오염되지 않을까요?
　– 환경 오염을 해결하는 방법에는 어떤 것이 있을까요?

㉠ 반대 의견에 대한 질문
　– 석탄이나 석유 등과 같은 화석 연료가 고갈되면 어떤 방법으로 에너지를 얻을까요?

4 물체의 무게

창의 서술형 문제 　영재고·영재원 선발 대비　　26~29쪽

1 예 비행기는 초파리와 마찬가지로 공기에 압력을 가하면서 하늘을 날아가므로 비행기가 땅에 내려앉지 않더라도 무게에 미치는 영향은 같습니다. 따라서 비행기가 하늘을 날아가거나 땅에 내려왔을 때에도 지구의 무게는 변하지 않습니다.

2 예 ㉠의 종이는 타서 가벼워지기 때문에 양팔저울이 왼쪽으로 기울어지고, ㉡의 강철 솜을 태우면 무거워지는 성질이 있기 때문에 양팔저울이 오른쪽으로 기울어질 것입니다.

3 예 클립 12개를 6개씩 나누어 양팔저울의 양쪽 저울접시에 각각 올려놓고 저울대가 기울어진 더 무거운 쪽 저울접시에 올린 클립 6개를 다시 3개씩 나누어 양쪽 저울접시에 각각 담습니다. 무거운 쪽 저울접시에 올린 클립 3개를 ㉠, ㉡, ㉢이라고 한다면, 두 개의 클립을 양쪽의 저울접시에 올려놓고 무게를 비교합니다.

- ㉠과 ㉡을 올렸을 때 ㉠쪽으로 저울대가 기울어지면 ㉠이 무거운 클립입니다.
- ㉠과 ㉡을 올렸을 때 ㉡쪽으로 저울대가 기울어지면 ㉡이 무거운 클립입니다.
- ㉠과 ㉢을 올렸을 때 저울대가 기울어지지 않으면 ㉢이 무거운 클립입니다.

4 예 건축 자재를 갈고리에 걸어서 운반할 때 타워 크레인이 수평을 유지하고 쓰러지지 않도록 하기 위해서 무거운 추를 매다는 것입니다.

5 예 중력의 크기가 지구의 $\frac{1}{6}$배인 달에서 물체의 무게는 지구에서의 $\frac{1}{6}$배가 되므로, 달에서 용수철이 늘어난 길이도 지구에서의 $\frac{1}{6}$배인 3 cm입니다.

6 예 물속에 넣은 물체에는 부력이 작용하여 무게가 가벼워지며, 이때 물체가 물속에 많이 잠길수록 물체에 작용하는 부력이 커져 무게가 더 가벼워지기 때문입니다.

7 예 용수철은 무게에 따라 일정하게 늘어나고 무게가 6 kg중인 철 구슬을 매달았을 때 용수철이 3 cm 늘어난 것으로 보아 용수철에 매단 물체의 무게가 2 kg중씩 늘어날 때마다 용수철의 길이가 1 cm 늘어난다는 것을 알 수 있습니다. 따라서 용수철이 4 cm 늘어나게 하려면 무게가 8 kg중인 철 구슬을 매달아야 합니다.

8 예 탄성력은 용수철에 작용한 힘의 방향과 반대 방향으로 작용하므로 왼쪽 방향으로 작용하며, 탄성력의 크기는 용수철에 작용한 힘의 크기와 같으므로 10 N입니다.

1 뚜껑을 닫은 유리병의 무게는 유리병 속 공기와 초파리의 무게가 포함된 것입니다. 따라서 초파리는 날갯짓을 하면서 공기에 압력을 가하기 때문에 유리병 벽에 앉아 있지 않더라도 무게에 미치는 영향은 같습니다. 그리고 비행기가 뜨고 질 때 지구의 무게는 변함이 없지만, 만약 우주 탐사선이 발사된다면 지구 밖으로 물체가 나가는 것이기 때문에 지구의 무게는 가벼워질 것입니다.

채점 TIP 비행기가 공기에 압력을 가하면서 날아가므로 땅에 내려앉지 않더라도 무게에 미치는 영향은 같으므로, 비행기가 하늘을 날아갈 때나 땅에 내려왔을 때 지구의 무게는 변하지 않는다는 내용을 썼으면 정답으로 합니다.

〔 내용 플러스 〕

중력과 무게

지구 위의 어떤 곳에서 물체를 떨어뜨려도 물체는 아래로 떨어집니다. 물체에 지구가 끌어당기는 힘이 작용하기 때문입니다. 이처럼 지구가 물체를 끌어당기는 힘을 중력이라고 합니다. 물체의 무게는 지구가 물체를 끌어당기는 힘의 크기, 즉 물체에 작용하는 중력의 크기입니다. 무게는 용수철저

▲ 중력의 방향

울, 가정용 저울, 체중계 등으로 측정하며, 단위는 g중(그램중), kg중(킬로그램중), N(뉴턴) 등을 사용합니다. 무게는 중력의 영향을 받기 때문에 같은 물체라 하더라도 무게를 측정하는 장소에 따라 변합니다. 예를 들어 지구에서 몸무게가 60 kg중인 사람이 달에 가서 몸무게를 측정하면 10 kg중이 됩니다. 그 까닭은 달에서의 중력이 지구에서의 중력의 $\frac{1}{6}$배이고, 중력의 영향을 받아 무게가 $\frac{1}{6}$배로 줄어들기 때문입니다.

중력에 관계없이 무게가 가지는 고유한 양을 질량이라고 합니다. 질량은 양팔저울 또는 윗접시저울로 측정하고, 단위는 g(그램), kg(킬로그램) 등을 사용합니다. 우리가 흔히 무게를 잴 때 사용하는 단위인 g(그램), kg(킬로그램) 등은 과학적으로 정확하게 말하자면 무게의 단위가 아니라 질량의 단위입니다. 질량은 중력의 영향을 받지 않으므로 측정 장소가 달라져도 변하지 않습니다.

---

2 양팔저울은 양쪽 물체의 무게가 같을 때 수평을 이루는 수평 잡기의 원리를 이용하는 저울로, 수평이 된 양팔저울의 받침점으로부터 같은 거리에 있는 저울접시에 무게가 다른 물체를 각각 올려놓았을 때 무거운 물체 쪽으로 저울대가 기울어집니다. 나무, 종이 등은 열린 공간에서 태우면 이산화 탄소 등의 기체가 발생해 공기 중으로 날아가므로 무게가 가벼워집니다. 철, 구리 등의 금속을 열린 공간에서 태우면 금속이 공기 중의 산소와 결합하므로 무게가 무거워집니다.

채점 TIP ㉠은 태운 종이가 가벼워져 양팔저울이 왼쪽으로 기울어지고, ㉡은 태운 강철 솜이 무거워져 양팔저울이 오른쪽으로 기울어질 것이라는 내용을 썼으면 정답으로 합니다.

3 처음에 양쪽 저울접시에 각각 클립을 6개씩 올렸을 때 저울대가 기울어진 쪽의 저울접시에 무거운 클립이 있는 것이고, 그 6개의 클립을 다시 3개씩 양쪽 저울접시에 나눠서 올렸을 때 저울대가 기울어진 저울접시 쪽에 무거운 클립이 있는 것입니다. 저울대가 기울어진 저울접시 쪽에 있는 클립 3개 중 2개를 각각 양쪽 저울접시에 올렸을 때 저울대가 수평을 이루면 클립의 무게가 같고 저울대가 한쪽으로 기울어지면 기울어진 저울접시 쪽의 클립이 더 무거운 것입니다.

채점 TIP 양팔저울을 세 번 사용하여 무게가 무거운 클립을 찾는 방법을 옳게 썼으면 정답으로 합니다.

4 타워 크레인으로 물체를 운반할 때 물체를 들어 올리는 긴 팔 쪽의 갈고리에 물체를 매달아도 가로 방향의 축(지브)은 균형을 이루어야 합니다. 이 무게 균형을 유지하기 위해서 가벼운 건축 자재를 들어 올릴 때는 갈고리가 달린 부분이 운전실에서 먼 곳에 있어도 되지만, 무거운 건축 자재를 들어 올릴 때에는 갈고리가 달린 부분을 운전실 가까이로 이동시킵니다.

채점 TIP 건축 자재를 높은 곳으로 운반할 때 타워 크레인이 수평을 유지하기 위해 필요하다는 내용을 썼으면 정답으로 합니다.

--(**내용 플러스**)--

타워 크레인
타워 크레인은 건설 현장, 항구 등에서 무거운 물체를 들어서 옮기는 도구로 지레의 원리와 도르래를 사용합니다.
• 지레: 막대의 한 점을 받치고 그 받침점을 중심으로 하여 물체를 움직이는 도구입니다. 지레는 지레에 힘을 직접 작용하는 지점인 힘점, 지레를 받쳐 주는 지점인 받침점, 지레가 물체에 힘을 작용하는 지점인 작용점으로 이루어져 있으며, 이를 지레의 3요소라고 합니다. 지레는 받침점과 힘점 사이의 거리가 받침점과 작용점 사이의 거리보다 멀수록 작은 힘으로 무거운 물체를 들어 올릴 수 있습니다.
• 도르래: 바퀴에 줄을 걸어 힘의 방향을 바꾸거나 큰 힘을 내는 도구입니다. 도르래에는 고정 도르래, 움직 도르래, 복합 도르래가 있습니다. 고정 도르래는 위치가 고정되어 있어 제자리에서 회전하는 도르래로 힘의 방향을 바꿀 수 있습니다. 움직 도르래는 위치가 고정되지 않고, 물체와 함께 위아래로 움직이는 도르래로 힘의 크기를 줄여 줍니다. 복합 도르래는 고정 도르래와 움직 도르래를 혼합한 도르래로, 힘의 방향을 바꾸면서 힘의 크기를 줄여 줍니다.

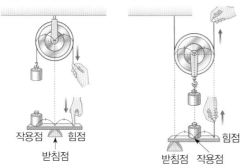

▲ 고정 도르래와 지레의 관계   ▲ 움직 도르래와 지레의 관계

5 달에서 물체의 무게는 지구에서의 $\frac{1}{6}$배이므로, 달에서 같은 용수철에 같은 물체를 매달면 용수철이 늘어난 길이는 지구에서 늘어난 길이의 $\frac{1}{6}$배로 줄어듭니다.

채점 TIP 달에서의 중력은 지구 중력의 $\frac{1}{6}$배이므로 추의 무게가 지구에서 무게의 $\frac{1}{6}$배가 되기 때문에 용수철이 늘어난 길이는 3 cm라는 내용을 썼으면 정답으로 합니다.

--(**내용 플러스**)--

중력과 용수철이 늘어난 길이
무게란 지구가 물체를 끌어당기는 힘, 즉 물체에 작용하는 중력의 크기이므로, 용수철로 물체의 무게를 측정한다는 것은 물체에 작용하는 중력의 크기를 측정하는 것입니다. 그래서 같은 물체라 하더라도 지구에서 용수철에 물체를 매달았을 때 용수철이 늘어난 길이와 달에서 용수철에 물체를 매달았을 때 용수철이 늘어난 길이는 달라집니다. 이때 달에서의 중력은 지구 중력의 $\frac{1}{6}$배이므로, 달에서 용수철이 늘어난 길이는 지구에서 용수철이 늘어난 길이의 $\frac{1}{6}$배가 됩니다.

6 부력은 기체나 액체가 그 속에 들어 있는 물체를 위쪽으로 밀어 올리는 힘으로, 중력과 반대 방향인 위쪽으로 작용합니다. 공기 중과 물속에서 측정한 용수철저울의 눈금 차이는 물체에 작용한 부력의 크기와 같습니다. 즉, '부력의 크기 = 공기 중에서 용수철저울의 눈금 − 물속에서 용수철저울의 눈금'입니다.

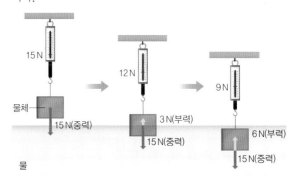

채점 TIP 물체가 물속에 잠긴 부분이 클수록 물체에 작용하는 부력이 커져 물체의 무게가 가벼워지기 때문이라는 내용을 썼으면 정답으로 합니다.

--(**내용 플러스**)--

부력
부력은 중력과 반대 방향으로 작용하며, 부력이 중력보다 크면 물체는 떠오르고 부력이 중력보다 작으면 물체는 가라앉으며, 물체가 떠 있을 때 부력과 중력의 크기는 같습니다. 물속에서 부력의 크기는 물에 잠긴 부피가 클수록 크며, 물체가 받은 부력의 크기는 물체가 물에 잠기기 전후의 무게의 차이와 같습니다.

부력의 크기	=	물 밖에서의 물체의 무게	−	물속에서의 물체의 무게

7 용수철에 걸어 놓은 물체의 무게가 2배, 3배 …… 늘어나면 용수철이 늘어난 길이도 2배, 3배 ……가 됩니다. 즉, 물체의 무게가 일정하게 늘어나면 용수철의 길이도 일정하게 늘어납니다. 문제에서 용수철에 무게가 6 kg중인 철 구슬을 매달았을 때 용수철이 3 cm 늘어난 것으로 보아 물체의 무게가 2 kg중 늘어날 때마다 용수철이 1 cm 늘어난다는 것을 알 수 있습니다. 따라서 용수철에 8 kg중인 철 구슬을 매달면 용수철이 4 cm 늘어납니다. 철 구슬 아래에 자석을 가까이 가져갔을 때 용수철이 1 cm 늘어난 것은 자석과 철 구슬 사이에 서로 잡아당기는 힘이 작용해서 늘어난 것입니다.

채점 TIP 용수철에 무게가 6 kg중인 철 구슬을 매달았을 때 용수철이 3 cm 늘어난 것으로 보아 용수철에 매단 물체의 무게가 2 kg중 늘어날 때마다 용수철이 1 cm 늘어난다는 것을 알 수 있습니다. 따라서 8 kg중인 철 구슬을 매달면 용수철이 4 cm 늘어난다는 내용을 썼으면 정답으로 합니다.

8 용수철을 손으로 잡아당겨 늘이면 용수철은 손을 당기고, 용수철을 손으로 눌러 압축하면 용수철은 손을 밀어 냅니다. 이와 같이 용수철의 모양을 변형시키면 원래 모양으로 돌아가려는 방향으로 탄성력이 작용합니다.

채점 TIP 탄성력은 손으로 잡아당긴 방향의 반대 방향으로 작용하므로 왼쪽 방향으로 작용하고, 탄성력의 크기는 10 N이라는 내용을 썼으면 정답으로 합니다.

--(**내용** 플러스)------

탄성력

탄성력은 탄성체(용수철, 고무줄, 장대, 피부 등과 같이 탄성이 있는 물체)에 작용하는 힘과 반대 방향으로 작용합니다. 예를 들어 용수철을 잡아당기면 용수철은 원래의 모양으로 되돌아가기 위해 줄어들려고 하며 이때 탄성력은 용수철을 잡아당기는 힘과 반대 방향으로 작용합니다. 또 용수철을 누르면 용수철은 원래의 모양으로 되돌아가기 위해 늘어나려고 하며, 이때 탄성력은 용수철을 누르는 힘과 반대 방향으로 작용합니다.

▲ 용수철을 잡아당길 때

▲ 용수철을 누를 때

탄성력은 탄성체에 작용한 힘의 크기와 같습니다. 예를 들어 용수철을 5 N의 힘으로 잡아당긴 상태에서 정지하고 있다면 탄성력의 크기는 용수철을 잡아당긴 힘의 크기인 5 N과 같습니다.

과학 탐구 대회 실전 과학 토론 31쪽

주장 및 근거

⟨예⟩ • 창의적 대안 ❶

시장에 공용으로 사용하는 저울을 배치하고 관리합니다. 사용자가 저울을 고장 내거나 변경할 수 없으며, 관리자가 매주 저울을 확인합니다. 저울 위쪽에는 CCTV를 설치하여 저울 위에 무엇을 올리는지, 손으로 무게를 바꾸지는 않는지 등을 확인합니다.

• 창의적 대안 ❷

시장의 가게마다 무게를 측정할 때 같은 바구니를 사용합니다. 저울로 생선 등의 무게를 측정할 때에는 정해진 바구니만 사용하게 합니다. 제공한 바구니를 저울 위에 올려놓았을 때에만 저울의 영점이 맞도록 설정해 놓습니다.

• 창의적 대안 ❸

저울에 X-ray로 내부 모습을 촬영하여 불순물이나 납, 철가루 등을 확인할 수 있게 합니다. 저울에 생선을 올려놓으면 무게도 측정하지만 내부에 불순물이 있는지 확인하여 무게를 정확하게 측정할 수 있습니다. 공항 검색대와 같이 레일이 있어서 무게를 측정하고 다시 돌아오는 구조로 만듭니다.

상대의 예상 질문

⟨예⟩ ❶ 저울을 공용으로 사용한다면 물건을 팔 때마다 사람들이 줄을 서서 기다리게 될 텐데 해결 방안이 있을까요?

❷ X-ray 측정 장치나 검색대의 레일을 만들려면 많은 돈이 필요할 텐데 설치 장비를 구매할 비용은 어떻게 모을 수 있을까요?

예상 질문에 대한 대답

⟨예⟩ ❶ 저울을 더 많이 설치하여 사람들이 기다리지 않게 합니다.

❷ X-ray 측정 장치와 검색대의 레일을 구매할 비용은 시장 방문 손님들이 지불하는 주차료 등을 이용합니다.

---

5 혼합물의 분리

1 예 쭉정이는 속이 비어 가볍고 속이 찬 곡식은 무겁기 때문에 키질을 하면 가벼운 쭉정이만 날아가 속이 찬 곡식과 분리됩니다.

2 예 곡식의 낱알이 흙보다 가벼워 물속에서 흙보다 천천히 가라앉아 분리되는 성질을 이용한 것입니다. 생활에서 쌀을 물에 씻을 때 쌀에 섞여 있던 겨와 같은 가벼운 것이 물에 떠서 분리가 되는 경우가 있습니다.

3 예 ⊙은 식용유, ⓒ은 물입니다. 물과 식용유가 두 층으로 나누어지면 마개를 열고 꼭지를 돌려 아래층에 있는 물을 먼저 분리할 수 있습니다.

4 예 ⓒ과 ②이 거름을 이용하여 고체와 액체를 분리한 것입니다. ⓒ은 헝겊 밖으로 콩에서 빠져 나온 물질과 물만 나오고 안쪽에는 콩 찌꺼기가 남습니다. ②은 액체인 물과 고체인 두부를 분리하는 과정입니다.

5 예 ⊙은 두 가지 물질이 골고루 섞여 있는 혼합물이고, ⓒ은 한 가지 물질이 다른 물질 속에 불균일하게 섞여 있는 혼합물입니다.

6 예 그릇 속의 소금물을 끓이면 물이 끓어서 수증기가 되었다가 비닐의 아랫부분에 닿으면 식어서 물방울이 되어 비닐의 아랫부분에 맺힙니다. 이 물방울은 비닐의 가운데 부분으로 모인 뒤 작은 컵으로 떨어집니다.

7 ② → ⊙ → ⓒ → ⓒ / 예 사탕수수를 으깬 즙을 체로 걸러 얻은 액체를 가열한 뒤 ⓒ에서 그 액체의 온도를 낮추면 물에 녹아 있던 설탕 성분을 알갱이로 얻을 수 있습니다.

8 예 우유를 분리하여 만들 수 있는 생크림, 버터, 치즈 등을 먹을 수 없습니다. 생크림, 버터, 치즈 등을 이용한 음식을 만들 수 없습니다. 저지방 우유를 마실 수 없고 일반 우유만 마실 수 있습니다.

---

1 무거운 고체와 가벼운 고체 물질이 섞여 있는 혼합물을 떨어뜨리면서 바람을 불어 주면 가벼운 고체는 멀리 날아가고, 무거운 고체는 가까이 떨어지므로 두 물질을 분리할 수 있습니다. 쭉정이는 속이 비어 있어 가볍고 속이 찬 곡식은 무겁습니다. 쭉정이와 속이 찬 곡식을 키에 담고 키질을 하면 쭉정이는 가벼워 멀리 날아가고 속이 찬 곡식은 가까이 떨어지므로 쭉정이와 속이 찬 곡식을 분리할 수 있습니다.

채점 TIP 무거운 곡식은 가까이 떨어지고, 가벼운 쭉정이는 바람에 날리거나 멀리 떨어지는 원리를 이용한다는 내용을 썼으면 정답으로 합니다. 쭉정이와 속이 찬 곡식의 무게 차이를 이용한다는 내용을 써도 정답으로 합니다.

2 사금을 채취할 때 사금이 섞인 흙과 모래를 쟁반에 담아 물 속에서 흔들면 무거운 금은 밑에 가라앉고 상대적으로 가벼운 흙과 모래는 흐르는 물에 씻겨 나가 사금을 얻는 방법과 비슷합니다.

채점 TIP 가벼운 것은 물에 뜨고 무거운 것은 물에 가라앉는 성질을 이용하여 혼합물을 분리하는 예를 썼으면 정답으로 합니다.

내용 플러스

액체 물질을 이용하여 고체 혼합물을 분리하는 예

물질이 차지하는 공간의 크기를 부피라고 하고, 장소나 상태에 따라 변하지 않는 물질의 고유한 양을 질량이라고 하며, 어떤 물질의 질량을 부피로 나눈 값, 즉 단위 부피당 질량을 밀도라고 합니다. 밀도가 다른 두 가지 고체의 혼합물은 두 물질을 녹이지 않으면서 밀도가 두 물질의 중간 정도인 액체에 넣으면 밀도가 큰 물질은 가라앉고, 밀도가 작은 물질은 액체 위로 떠올라 분리됩니다.

- 신선한 달걀 고르기

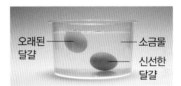

오래된 달걀 속에는 공기가 많아 가벼워서 잘 떠오릅니다. 달걀을 소금물에 넣었을 때 오래된 달걀은 떠오르고, 신선한 달걀은 가라앉는 것을 보고 신선한 달걀을 고를 수 있습니다.

- 볍씨 고르기

소금물에 볍씨를 넣으면 속이 찬 볍씨는 가라앉고, 쭉정이는 위로 떠올라 쭉정이와 속이 찬 볍씨를 분리할 수 있습니다.

---

3 서로 섞이지 않는 액체 혼합물이 두 층으로 나누어지면 분별 깔때기의 마개를 열고 꼭지를 돌려 아래층에 있는 액체를 비커에 먼저 분리할 수 있습니다. 물과 식용유는 섞이지 않으므로, 물과 식용유를 섞은 액체 혼합물은 시간이 지나면 두 층으로 분리됩니다. 이때 물이 식용유의 아래층에 있으므로 꼭지를 열면 아래층에 있는 물을 먼저 분리할 수 있습니다.

채점 TIP ⊙은 식용유, ⓒ은 물이라고 쓰고, 마개를 열고 꼭지를 돌려 아래층에 있는 물을 먼저 분리할 수 있다는 내용을 썼으면 정답으로 합니다.

2권
1학기

(**내용** 플러스)
분별 깔때기

마개

꼭지

분별 깔때기는 밀도 차이가 많이 나 서로 섞이지 않는 액체 혼합물을 분리할 때 이용하는 실험 도구입니다. 식용유는 물보다 밀도가 작아서 물 위에 뜨므로, 물과 식용유의 혼합물을 분별 깔때기에 넣고 꼭지를 열면 아래층에 있는 물을 먼저 분리할 수 있습니다.

4 두부는 콩 속에 있는 단백질을 간수로 분리하여 만든 것입니다.

㉠ 콩 물이 끓기 시작하면 찬물을 조금 붓고 끓입니다. 찬물을 부으면 끓어 넘치려던 콩 물이 가라앉습니다.

㉡ 헝겊 밖으로 콩에서 빠져 나온 물질(단백질)과 물만 나오고 헝겊 안쪽에는 콩 찌꺼기(비지)가 남습니다.

㉢ 콩에서 우러나온 단백질이 간수에 의해 굳어지면서 하얀 덩어리가 생기기 시작합니다.

㉣ 헝겊 밖으로 물이 빠지고 헝겊에 있는 하얀 덩어리가 굳어 두부가 만들어집니다.

㉤ 무거운 물체로 누르면 물을 빨리 빼내고 두부를 단단하게 할 수 있습니다.

채점 TIP ㉡과 ㉣을 쓰고, 각각의 고체와 액체 물질에 대해 알맞게 썼으면 정답으로 합니다.

(**내용** 플러스)
두부를 만들 때 이용한 혼합물 분리 방법: 거름
• 어떤 물질은 물에 잘 녹고 어떤 물질은 물에 녹지 않는 성질을 이용하여 혼합물을 분리하는 방법을 거름이라고 합니다. 두부를 만들 때 끓인 콩 물을 체와 헝겊으로 거르는 과정과 간수를 넣은 콩 물을 헝겊으로 거르는 과정에서 거름의 방법으로 혼합물을 분리합니다.
• 끓인 콩 물을 헝겊으로 거르는 과정
  – 체와 헝겊을 이용하여 끓인 콩 물을 거릅니다.
  – 헝겊에 남아 있는 물질: 물에 녹지 않는 콩 찌꺼기(비지)
  – 헝겊을 빠져나간 물질: 콩에서 빠져 나온 물질(콩 단백질)과 물의 혼합물
• 간수를 넣은 콩 물을 헝겊으로 거르는 과정
  – 간수: 콩 단백질을 엉기게 하여 덩어리로 만들어 줍니다.
  – 헝겊을 이용하여 하얀 덩어리(콩 단백질이 엉긴 덩어리)가 생긴 콩 물을 거릅니다.
  – 헝겊에 남아 있는 물질: 물에 녹지 않는 하얀 덩어리(콩 단백질이 엉긴 덩어리)

5 혼합물은 각 성분 물질들이 성분 물질 각각의 성질을 그대로 가지고 섞여 있는 것입니다. 두 가지 이상의 순물질이 고르게 섞여 있는 혼합물은 혼합물 전체의 성질이 고르고, 두 가지 이상의 순물질이 고르지 않게 섞여 있는 불균일 혼합물은 혼합물 각 부분의 성질이 다릅니다. 액체 혼합물 중에서 오랫동안 두어도 가라앉는 물질이 없는 것은 균일 혼합물이고, 가라앉는 물질이 있는 것은 불균일 혼합물이라고 합니다.

채점 TIP ㉠은 물질들이 골고루 섞여 있는 혼합물이고, ㉡은 물질들이 불균일하게 섞여 있는 혼합물이라는 내용을 썼으면 정답으로 합니다.

(**내용** 플러스)
순물질, 화합물, 혼합물
• 순물질: 소금, 물, 구리, 산소, 소금(염화나트륨) 등과 같이 다른 물질이 섞여 있지 않고 한 가지 물질로 이루어진 것입니다. 순물질은 밀도, 어는점, 녹는점, 끓는점 등의 성질이 항상 일정합니다.
  – 홑원소 물질: 순물질 중 구리, 산소 등과 같이 한 가지 원소로 이루어진 물질입니다.
  – 화합물: 순물질 중 물, 이산화 탄소, 소금(염화나트륨) 등과 같이 두 가지 이상의 원소가 결합한 물질입니다.
• 혼합물: 두 가지 이상의 순물질이 서로 화학 결합을 하지 않고 섞여 있는 것입니다. 혼합물을 만드는 각각의 물질을 성분이라고 하는데, 이 성분은 단순히 섞여만 있을 뿐 각각의 고유한 성질을 그대로 가지고 있습니다. 예를 들어 김밥의 경우 시금치, 달걀, 밥, 김 등 여러 가지 재료가 섞여 있지만 각 재료의 맛, 색깔 등의 성질은 변하지 않으므로 혼합물입니다.
  – 균일 혼합물: 두 가지 이상의 순물질이 전체적으로 고르게 섞여 있는 혼합물입니다. 물질 내의 어느 부분이나 성분의 비율이 같기 때문에 겉으로는 한 가지 물질로만 이루어진 것처럼 보입니다. 액체 상태의 균일 혼합물은 오랜 시간 그대로 두어도 가라앉는 물질이 없습니다. 설탕물이나 소금물 등의 액체 용액, 놋쇠나 스테인리스 등의 합금이 균일 혼합물입니다.
  – 불균일 혼합물: 두 가지 이상의 순물질이 전체적으로 고르지 않게 섞여 있는 혼합물입니다. 액체 상태의 불균일 혼합물은 오랜 시간 그대로 두면 섞여 있지 않고 밀도 차에 의해 분리됩니다. 우유, 흙탕물, 과일 주스 등이 불균일 혼합물입니다.

▲ 우유

6 소금물을 끓이면 물이 수증기가 되고, 수증기가 비닐에 닿으면 식어서 물방울이 되어 비닐의 아랫부분에 맺힙니다. 이 물방울은 오목한 비닐의 가운데 부분으로 모인 뒤, 점점 무거워져 작은 컵으로 떨어집니다.

채점 TIP 소금물을 끓이면 물이 수증기로 변하고 수증기가 비닐에 닿아 물방울로 맺힌 뒤, 비닐의 가운데 부분에 모여 작은 컵으로 떨어진다는 내용을 썼으면 정답으로 합니다.

7 사탕수수를 사용하여 사탕을 만들 때에는 사탕수수를 으깨고 물을 넣은 뒤, 사탕수수를 으깬 즙을 체로 걸러서 설탕 성분이 녹아 있는 액체를 얻는 과정을 거칩니다. 설탕 성분이 녹아 있는 액체를 가열하면 물이 증발하면서 액체 속 설탕의 진하기가 진해지며, 이 액체의 온도를 낮추면 설탕 성분이 결정으로 나타납니다. 이러한 혼합물 분리 방법을 재결정이라고 합니다.

채점 TIP ㉣ → ㉠ → ㉢ → ㉡을 쓰고, 사탕수수를 으깬 즙을 체로 걸러 얻은 액체를 가열한 뒤 식혀 설탕 성분을 알갱이로 얻는다는 내용을 썼으면 정답으로 합니다.

---(**내용 플러스**)---

재결정
적은 양의 불순물이 섞여 있는 혼합물을 높은 온도의 용매에 녹인 뒤 서서히 냉각하여 순수한 결정을 얻는 방법을 재결정이라고 합니다. 재결정 과정에서 온도를 아주 서서히 낮추면서 용액 속에 결정의 씨앗을 매달아 놓으면 결정이 크게 성장하는 모습을 관찰할 수 있습니다.

---

8 우유와 같이 혼합물을 분리하면 분리한 물질의 장점을 살린 물건을 만들 수 있고, 원하는 비율대로 다른 물질과 섞어 여러 가지 새로운 물질을 만들 수 있습니다.

채점 TIP 생크림, 버터, 치즈 등을 먹을 수 없고 음식에 이용할 수 없으며, 저지방 우유를 마실 수 없고 일반 우유만 마실 수 있다는 등의 생활에서 달라지는 부분에 대해 알맞게 썼으면 정답으로 합니다.

---(**내용 플러스**)---

혼합물을 분리하면 좋은 점
혼합물을 분리하면 원하는 물질을 얻을 수 있고, 이를 우리 생활의 필요한 곳에 이용할 수 있어 좋습니다. 또 혼합물에서 분리한 물질을 섞어 새로운 물질을 만들 수 있습니다.

39쪽

● **탐구 과정**

예

① 20 g의 머리카락, 20 g의 스타킹, 20 g의 흡착포를 준비합니다.
② 스탠드에 깔때기를 설치하고, 아래에 비커를 둡니다.
③ 깔때기에 거름종이를 넣고, 거름종이 위에 머리카락을 올려 둡니다.
④ 머리카락 위에 100 mL의 기름을 붓습니다.
⑤ 1분 후 비커로 떨어진 기름의 양을 나타내는 눈금을 읽고, 기록합니다.
⑥ 스타킹과 흡착포도 ②~⑤의 과정을 반복하여 비커로 떨어진 기름의 양을 측정합니다.

● **예상되는 탐구 결과**
머리카락을 올려 두고 기름을 부었을 때 비커로 떨어진 기름의 양이 가장 적을 것입니다.

1 식물의 생활

1 예 민들레 열매는 바람에 잘 날아가고, 도꼬마리 열매는 사람의 옷이나 동물의 털 등에 잘 달라붙기 때문에 씨가 멀리 퍼져 산과 들에 번식할 수 있습니다.

2 예 잎이 크기 때문에 폭우가 내리거나 바람이 강하게 불 때 줄기가 부러질 수 있지만 잎에 구멍이 있어 빗물을 배출하거나 바람의 영향을 최소화할 수 있습니다. 잎이 크기 때문에 아래쪽에 달린 잎에 햇빛이 전달되기 어렵지만 잎에 구멍이 있어 아래쪽 잎까지 햇빛이 전달될 수 있습니다.

3 예 대나무는 단단한 줄기가 있지만 속이 비어 있고, 위로는 자라도 옆으로는 거의 자라지 않아 나이테가 없기 때문에 나무가 아닌 풀로 구분합니다.

4 예 나사말은 잎이 좁고 긴 모양이라 물의 흐름에 큰 영향을 받지 않습니다. 하지만 부레옥잠의 잎자루와 같은 기관을 갖게 된다면 공기주머니의 영향으로 물 위로 뜨려는 성질이 있어 물의 흐름에 대한 저항이 생겨 뿌리가 뽑힐 수도 있습니다. 따라서 물속에 잠겨서 살기 어려워질 것입니다.

5 예 수련은 잎이 넓고 갈라져 물 위에 떠 있기 좋은 구조로 잎이 물 위에 떠서 삽니다. 반면에 연꽃은 잎이 물 위로 높이 솟아 있습니다. 이것을 통해 수련과 연꽃을 구분할 수 있습니다.

6 예 바오바브나무의 줄기가 굵은 것은 물을 많이 저장하기 위한 것입니다. 길쭉한 바오바브나무는 우기에 습지가 되는 곳에서 서식하는 나무라서 줄기가 길게 자랄 수 있고, 뚱뚱한 바오바브나무는 우기에도 물이 부족한 환경에서 서식하기 때문에 물을 빠르게 많이 저장할 수 있게 줄기가 굵게 자란 것입니다.

7 예 완전한 모래사막은 비가 와도 물이 고이지 않고 모두 땅속으로 스며들며, 공기도 매우 건조하여 선인장이 살 수 있을 정도의 적은 양의 수분도 공급이 되지 않기 때문입니다.

8 예 식물 아파트는 식물이 태양 빛을 흡수하여 온도를 낮춰 주고 미세 먼지 등을 줄여 맑은 공기를 공급해 주는 효과가 있으며, 초록색이 사람들에게 정서적으로 안정감을 준다는 장점이 있습니다. 하지만 너무 많이 자란 식물이 해충의 서식지가 되어 사람이 살기 어려운 아파트가 되었습니다. 해충이 기피하는 허브 식물 등을 키우면 문제를 해결할 수 있을 것입니다.

1 식물은 번식을 위해 씨를 퍼뜨립니다. 씨가 한꺼번에 같은 곳에 떨어져 싹이 트게 되면 자라는 데 필요한 양분이나 물이 부족해질 수 있기 때문에 경쟁으로 인한 피해를 줄이기 위해 다양한 방법으로 씨를 멀리 퍼뜨립니다. 식물의 씨는 바람에 날려 멀리 퍼지기도 하고, 동물의 몸에 붙어서 멀리 퍼지기도 하며, 물에 둥둥 떠서 멀리 퍼지기도 합니다. 또 동물의 먹이가 되어 배설물을 통해 멀리 퍼지기도 하고 꼬투리가 터지면서 멀리 퍼지기도 합니다. 어떤 식물의 씨는 단단한 껍질에 싸여 있다가 산불이 발생한 후 불을 견디고 살아남아 씨를 퍼뜨립니다.

채점 TIP 각 열매의 특징이 씨를 멀리 퍼뜨려 번식하기에 유리하다는 내용을 쓰면 정답으로 합니다.

(내용 플러스)

식물이 씨를 멀리 퍼뜨리는 방법

- 바람에 날려서: 씨나 열매에 갓털이나 날개, 솜털 등이 달려 있어서 바람을 타고 멀리 날아갈 수 있습니다. 민들레 열매는 우산 모양의 갓털이 달려 있고 갓털 아래쪽에 씨가 붙어 있으며, 단풍나무 열매와 소나무 열매에는 날개가 달려 있으며, 그 속에 씨가 들어 있습니다.

민들레

  예 민들레, 단풍나무, 박주가리

- 동물의 몸에 붙어서: 열매나 씨에 가시, 갈고리 등이 있어서 사람의 옷이나 동물의 몸에 잘 달라붙습니다. 도꼬마리는 열매에 갈고리 모양의 가시

도깨비바늘

  가 있고, 도깨비바늘은 씨가 길쭉하고 끝에 가시가 나 있습니다. 사람의 옷이나 동물의 털에 붙어서 이동하다가 땅에 떨어지면 싹을 틔웁니다.

  예 도꼬마리, 도깨비바늘, 도둑놈의갈고리, 우엉

- 물에 떠서: 연꽃 열매와 야자나무 열매는 물에 떠다니다가 적당한 곳에 닿으면 싹을 틔웁니다. 연꽃 열매와 야자나무 열매 속에는 공기가 들어 있어서 물 위에 잘 뜹니다.

야자나무

- 동물에게 먹혀서: 동물에게 먹히는 씨는 대부분 딱딱한 껍질로 싸여 있습니다. 그래서 동물이 열매와 함께 씨를 삼키면 소화되지 않고 똥으로 나와

사과나무

  퍼집니다. 사과나무, 벚나무, 감나무 등과 같이 동물에게 먹혀서 씨가 퍼지는 식물의 열매는 대부분 과육이 맛있고 향기로운 냄새가 납니다.

- 꼬투리가 터져서: 꼬투리가 터지는 힘으로 그 안에 들어 있던 씨가 튕겨 나가 퍼집니다. 봉숭아, 제비꽃, 콩의 꼬투

제비꽃

  리를 건드리면 오그라들면서 그 힘으로 씨가 사방으로 퍼져 나갑니다.

2 식물은 오랜 기간에 걸쳐 주변 환경에 적합하게 적응하여 살아갑니다. 식물의 잎도 그 식물이 사는 곳의 환경에 따라 생김새가 다릅니다. 몬스테라의 잎은 크기가 크기 때문에 폭우나 강한 바람에 흔들려 줄기가 부러지거나 아래쪽에 달린 잎에는 햇빛이 전달되지 못할 수 있기 때문에 이런 환경에 적응하여 잎에 구멍이 있는 것입니다.

채점 TIP 잎에 구멍이 있어서 빗물을 배출하거나 바람의 영향을 최소화할 수 있고, 아래쪽에 달린 잎에도 햇빛이 전달될 수 있도록 한다는 내용 중 한 가지를 쓰면 정답으로 합니다.

┌─(**내용 플러스**)─
식물의 적응
특정한 서식지에서 오랜 기간에 걸쳐 살아남기에 유리한 특징이 자손에게 전달되는 것을 적응이라고 합니다. 강한 바람이 부는 곳, 추운 곳, 메마른 모래땅, 그늘진 곳 등에서 식물이 살아갈 수 있는 것은 식물이 환경에 맞게 적응했기 때문입니다.
물속에 잠겨서 사는 검정말의 잎이 작고 줄기가 잘 휘어져서 물의 흐름에 영향을 덜 받고, 물이 부족한 환경에 사는 선인장이 줄기에 물을 저장하는 것도 식물이 환경에 적응한 결과입니다.

▲ 검정말　　　　　▲ 선인장

3 풀은 뿌리 부분이 살아 있는 기간에 따라 한해살이풀과 여러해살이풀로 구분되는데, 대나무는 여러해살이풀입니다. 나무와 같이 단단한 줄기가 있지만 속이 비어 있고, 줄기의 길이는 길어져도 굵기는 거의 자라지 않아 나이테를 만들지 않기 때문에 풀로 구분합니다.

채점 TIP '줄기 속이 비어 있다.', '나이테가 없다.'와 같은 까닭을 쓰면 정답으로 합니다.

┌─(**내용 플러스**)─
• 풀과 나무
풀과 나무는 뿌리, 줄기, 잎이 있으며, 대부분 잎이 초록색이고 땅에 뿌리를 내리고 삽니다. 풀은 대부분 한해살이 식물로, 나무보다 키가 작고 줄기가 가늡니다. 나무는 모두 여러해살이 식물로, 풀보다 키가 크며 줄기가 굵고 해마다 조금씩 자랍니다. 풀 중에는 나무처럼 여러 해 동안 살면서 해마다 조금씩 자라는 것도 있습니다. 대나무도 그 중 하나로, 줄기가 굵고 30 m 넘게 자라기도 해서 나무 같지만 여러해살이풀입니다. 외떡잎식물(떡잎이 한 장인 식물)이기 때문에 부름켜가 없어서 나이테가 생기지 않습니다.

• 부름켜와 나이테
부름켜는 물관과 체관 사이에 있는 층으로 식물의 부피 생장이 일어나는 곳입니다. 나이테가 생기는 것은 부름켜 때문입니다. 봄부터 여름까지는 부름켜에서 세포 분열이 활발하게 일어나 나무가 자라는 속도가 빠르지만 가을부터는 부름켜에서 세포 분열이 활발하게 일어나지 않아 나무가 자라는 속도가 느려져 나이테가 생깁니다.

4 나사말은 물속에 잠겨서 사는 침수식물로, 줄기와 잎이 좁고 긴 모양이며 줄기가 물의 흐름에 따라 잘 휩니다. 부레옥잠은 물에 떠서 사는 부유식물로, 잎자루에 공기주머니가 있어 쉽게 물에 뜹니다. 이러한 식물의 생김새와 생활 방식은 그 식물이 주변 환경에 적응하여 살아가기에 적합하게 변화된 것입니다.

채점 TIP 잎자루의 공기주머니 때문에 물 위로 뜨려는 성질이 있어 물속에 잠겨서 살기 어려워질 것이라고 쓰면 정답으로 합니다.

┌─(**내용 플러스**)─
부레옥잠의 잎자루
부레옥잠의 잎자루에 있는 많은 구멍은 공기주머니입니다. 부레옥잠은 잎자루에 많은 공기가 저장되어 있고 잎이 넓어서 물에 뜰 수 있습니다.
자른 부레옥잠의 잎자루를 물이 담긴 수조에 넣고 손가락으로 누르면 공기 방울이 위로 올라갑니다. 이것을 통해 부레옥잠의 잎자루에는 공기주머니가 있다는 것을 알 수 있습니다.

▲ 부레옥잠의 잎자루를 세로로 자른 단면: 공기 구멍이 줄줄이 연결되어 있습니다.　　▲ 부레옥잠의 잎자루를 가로로 자른 단면: 둥근 공기 구멍이 가득 차 있습니다.

5 수련은 잎이 넓고 갈라져 있으며, 연꽃은 잎이 물 위로 높이 솟아 있습니다. 수련과 연꽃은 잎의 위치 외에도 구분할 수 있는 차이점이 있습니다. 수련은 잎의 표면에 물이 묻지만

▲ 연잎

연꽃은 잎 표면에 물이 스며들지 않게 하는 성질(발수성)이 있어 물이 방울로 맺힙니다.

채점 TIP 수련은 잎이 물 위에 떠 있고, 연꽃은 잎이 물 위로 높이 솟아 있다는 내용을 쓰면 정답으로 합니다.

6 사막은 강수량이 적은 지역으로, 일반적으로 연평균 강수량이 250 mm 이하인 지역을 말합니다. 식물이 살기 어려운 환경이지만 건조한 환경에서도 잘 살아가는 식물들이 있습니다. 바오바브나무는 1년에 비가 두 달 정도밖에 내리지 않는 지역에 자생하기 때문에, 우기일 때 줄기에 수분을 최대한 많이 저장해 두어야 하므로 매우 굵은 줄기 모양을 갖게 되었습니다.

채점 TIP 길쭉한 바오바브나무는 우기에 물이 충분한 곳에서 서식하는 나무이고, 뚱뚱한 바오바브나무는 우기에도 물이 부족한 환경에서 서식하는 나무라는 내용을 쓰면 정답으로 합니다.

(내용 플러스)

사막 환경에 적응하여 살아가는 식물

사막에 사는 한해살이 식물은 대부분의 기간을 씨의 상태로 있다가 비가 내리면 재빨리 자라서 꽃을 피우고, 열매를 맺어 씨를 퍼뜨리고 난 후 죽습니다. 여러해살이 식물 중 일부는 잎을 모두 떨어뜨려 수분이 빠져 나가지 못하게 하고 아주 천천히 자라다가 비가 오면 물을 흡수해서 빨리 자랍니다.

• 바오바브나무: 키가 크고 줄기가 굵어서 줄기에 물을 많이 저장할 수 있습니다. 또 광합성을 할 때 물을 아주 조금씩 사용하고 기공도 아주 조금씩 열어 천천히 오래 자라며, 뿌리가 크고 튼튼하여 땅속의 물을 찾아 흡수하기에 유리합니다.

• 회전초: 물이 부족하면 바싹 말라서 식물의 땅 위 부분 일부가 뿌리와 분리되거나 뿌리까지 뽑힌 뒤 바람에 날려서 이리저리 굴러다니면서 사방에 씨를 뿌립니다. 그리고 비가 오면 다시 줄기를 뻗으며 자랍니다.

• 메스키트나무: 뿌리를 땅속 58 m까지도 뻗어 내려갈 수 있어 지하수를 빨아들여 저장하고, 그 물을 이용하여 살아갑니다.

• 용설란: 용의 혀처럼 생긴 크고 두꺼운 잎에 물을 저장합니다.

▲ 회전초　　▲ 메스키트나무　　▲ 용설란

7 선인장이 다른 식물에 비해 적은 양의 물이 필요하다는 것이지 물이 전혀 없이도 살 수 있다는 것은 아닙니다. 선인장은 연 강우량이 20 mm 이상이거나 안개 등으로 계속해서 수분이 공급되는 지역이어야 살 수 있습니다. 따라서 최소한의 수분 공급이 원활하지 않은 곳에서는 선인장이 살 수 없습니다.

채점 TIP 완전한 모래사막은 선인장이 필요로 하는 최소한의 수분 공급도 되지 않기 때문이라는 내용으로 쓰면 정답으로 합니다.

(내용 플러스)

• **선인장이 사막 환경에 적응한 특징**

줄기가 굵어서 물을 많이 저장할 수 있습니다. 잎이 가시 모양이어서 물이 증발되는 것을 막을 수 있고, 물이 필요한 다른 동물이 공격하는 것을 피할 수 있습니다.

• **선인장의 가시**

선인장의 가시는 잎이 환경에 적응하여 모습이 변한 것입니다. 증산 작용이란 물이 기공을 통해 공기 중으로 빠져나가는 현상으로, 광합성을 할 때 필요한 물이 뿌리에서 잎까지 이동할 수 있도 기공
록 해 주고, 식물의 온도를 조절해 줍니다. 증산 작용은 햇볕이 강하고 건조한 곳에서 활발하게 일어나는데, 증산 작용이 활발하면 식물의 몸속에 물이 부족해지기 쉽습니다. 그래서 선인장의 잎은 물이 부족해지는 것을 막기 위해 점점 작아지고 가늘어져 가시로 변하게 된 것입니다. 선인장의 가시는 물이 증발되는 것을 막아 주기도 하지만 선인장을 먹으려는 동물로부터 몸을 보호해 주는 역할도 합니다.

8 자연에서 식물은 해충을 포함한 많은 동물들의 서식지가 됩니다. 우리가 공원에서 볼 수 있는 나무나 꽃들은 지속적으로 농약을 뿌리고 제초 작업 등을 통해 사람들이 보기에 아름답게 꾸민 것입니다. 공원과 같이 쾌적한 형태의 식물로 둘러싸인 아파트를 설계하고자 했다면 식물의 종류나 번식과 관리, 해충 등에 대한 여러 가지 고민을 통해 신중하게 만들었어야 합니다.

채점 TIP 식물 아파트의 장점과 해충 문제 해결 방법 한 가지를 모두 옳게 쓰면 정답으로 합니다.

(내용 플러스)

해충 기피 식물

• 구문초: 모기풀이라고도 불리는 식물로, 잎과 줄기에서 장미 향과 레몬 향이 나 모기 퇴치에 효과가 있습니다.

• 야래향: 밤에만 꽃이 피는 식물로, 모기가 싫어하는 향이 납니다.

• 식충 식물: 벌레를 잡아먹는 '파리지옥'이나 '벌레잡이통풀'과 같은 식물로도 해충을 막을 수 있습니다.

과학 탐구 대회 실전 발명품　　**47쪽**

● **발명품 도안**

● **발명품 이름** 예 저절로 열리는 병뚜껑

● **발명품 소개**

예 병뚜껑을 잘 열지 못하는 사람을 위해 아랫부분을 살짝 뜯기만 하면 꼬여 있던 탄성체가 풀리면서 저절로 열리게 되는 병뚜껑입니다. 탄성에 의해 저절로 뚜껑이 열리면서 위로 솟아 올라오는 모양으로, 국화쥐손이 씨와 같이 풀리면서 돌아가는 것을 모방하였습니다.

국화쥐손이 씨의 핵심은 말려 있는 줄기가 풀리면서 회전하는 것입니다. 회전을 하면 좋을 물체를 찾고 발명 아이디어를 내 보면 문제를 해결할 수 있습니다.

2 물의 상태 변화

1 예 물이 끓을 때 물이 수증기로 변해 주전자 입구로 나오고, 이 수증기가 공기 중에서 냉각되어 작은 물방울로 변해 하얀 김이 발생합니다. 김은 다시 수증기로 변해 우리 눈에 보이지 않게 됩니다.

2 예 1단계에서는 물이 끓으면서 수증기로 상태가 변하는 '끓음' 현상이 발생합니다. 2단계에서는 수증기가 차가운 냉각기를 통과하면서 액체인 물로 상태가 변하는 '응결' 현상이 발생합니다.

3 예 헤어드라이어는 건조하고 뜨거운 공기를 공급하고 비닐봉지는 공기를 가두는 역할을 하여 젖은 옷 표면으로부터 액체인 물이 증발하여 기체인 수증기로 변해 공기 중으로 빠르게 흩어지게 하기 때문입니다.

4 예 낮 동안 햇빛에 의해 풀의 수분(물)이 증발하여 수증기로 상태가 변하고, 밤이 되어 기온이 낮아지면 수증기가 차가운 비닐에 닿아 응결하여 물방울이 맺힙니다. 비닐에 맺힌 물방울이 아래쪽으로 떨어져 그릇에 모이게 됩니다.

5 예 불을 피워 이글루 안의 온도를 높이면 눈 벽돌이 조금씩 녹아 물이 됩니다. 이때 출입문을 열어 이글루 안의 온도를 낮추면 다시 물이 얼면서 눈 벽돌 사이의 빈틈을 채우게 됩니다. 이런 과정을 반복하면 이글루 내부의 공기는 밖으로 잘 빠져나가기 어려워 외부보다 따뜻해지며, 더 단단하게 됩니다.

6 예 물을 가열해 물속의 공기가 빠져나가게 한 후 얼리면 투명한 얼음을 얼릴 수 있습니다. 적당히 낮은 온도에서 물을 천천히 얼리면 물속의 공기가 빠져나가면서 얼음이 얼기 때문에 투명한 얼음을 얼릴 수 있습니다.

7 예 물을 떨어뜨린 쪽으로 윗접시저울이 기울어졌다가 시간이 지나면서 거름종이의 물이 증발하여 수증기로 상태가 변해 공기 중으로 모두 흩어지면 윗접시저울이 다시 수평이 됩니다.

8 예 물이 얼면 부피가 늘어나지만 무게는 변하지 않는다는 것은 같은 부피의 물과 얼음을 비교하면 물보다 얼음이 더 가볍다는 의미입니다. 겨울철 강과 호수 표면의 물이 얼더라도 물보다 가벼워 바닥에 가라앉지 않고 물 위에 뜨기 때문에 물고기가 살 수 있는 공간이 생기고 얼음이 찬 공기를 막아 줍니다.

1 기체 상태인 수증기는 아주 작은 물 입자이기 때문에 색깔이 없고 눈에 보이지 않습니다. 주전자 입구에서 나온 수증기는 눈에 보이지 않지만 이 수증기가 공기 중에서 냉각되어 작은 물방울로 변하면 연기처럼 하얗게 보이는 김이 됩니다. 하지만 김은 다시 수증기로 변해 공기 중으로 흩어져 우리 눈에 보이지 않게 됩니다.

채점 TIP 액체인 물이 끓어 수증기가 되었다가 공기 중에서 냉각되어 김(물방울)이 되었다가 다시 수증기가 되어 공기 중으로 흩어진다고 쓰면 정답으로 합니다.

─(내용 플러스)─

수증기와 김

수증기는 기체 상태의 물입니다. 수증기는 색깔과 냄새가 없는 기체로 우리 눈에 보이지 않으며, 공기 중에 섞여 있습니다. 주전자에 물을 넣고 끓였을 때 관찰할 수 있는 김은 수증기가 상대적으로 온도가 낮은 공기와 접촉하면서 식어서 생긴 작은 물방울로, 액체 상태이며 우리 눈에 하얗게 보입니다.

주전자에 물을 넣고 끓일 때 주전자 입구 부분과 김이 생기는 부분의 사이에 아무것도 없는 것처럼 보이는 부분이 있는데, 이 부분에 유리판을 대 보면 물방울이 맺힙니다. 수증기가 유리판에 닿아 식어서 물방울로 변해 맺힌 것입니다. 이것으로 눈에 보이지 않지만 수증기가 존재한다는 것을 알 수 있습니다.

2 끓음은 물의 표면뿐만 아니라 물속에서도 액체인 물이 기체인 수증기로 상태가 변하는 현상입니다. 응결은 기체인 수증기가 액체인 물로 상태가 변하는 현상입니다.

채점 TIP 1단계의 끓음과 2단계의 응결을 바르게 설명했으면 정답으로 합니다.

─(내용 플러스)─

끓음과 응결

• **끓음:** 액체 상태에서 기체 상태로 변하는 현상으로, 증발과 달리 액체 표면뿐만 아니라 액체 속에서도 일어납니다. 물을 가열하면 액체인 물이 기체인 수증기로 상태가 변합니다. 처음에는 표면의 물이 천천히 증발하고, 물을 계속 가열하면 물의 표면뿐만 아니라 물속에서도 액체인 물이 기체인 수증기로 상태가 변해 공기 중으로 흩어집니다. 물이 끓을 때에는 증발할 때보다 더 빨리 수증기로 변하므로 물의 양이 빠르게 줄어듭니다.

물을 끓일 때 물속에서 보이는 기포는 물이 수증기로 변한 것입니다.

• **응결:** 기체인 수증기가 액체인 물로 변하는 현상입니다. 추운 겨울 유리창 안쪽에 맺힌 물방울, 가열한 냄비 뚜껑 안쪽에 맺힌 물방울, 맑은 날 아침 풀잎이나 거미줄에 맺힌 물방울은 공기 중의 수증기가 응결한 것입니다. 여름철 차가운 컵 표면에 맺힌 물방울도 공기 중의 수증기가 응결한 것입니다.

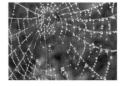

▲ 거미줄에 맺힌 물방울

3 헤어드라이어는 모터가 프로펠러를 돌리면 뒤에서 차가운 공기가 들어가 열선을 거쳐 앞쪽 구멍으로 뜨거운 공기를 내보내는 장치입니다. 비닐봉지에 젖은 옷을 넣고 헤어드라이어로 뜨거운 바람을 넣어 주면 물의 증발이 잘 일어나 젖은 옷을 빠르게 말릴 수 있습니다.

채점 TIP 헤어드라이어의 뜨거운 바람에 의해 젖은 옷의 물이 빠르게 증발된다는 내용을 쓰면 정답으로 합니다.

---(내용 플러스)---

증발
- 액체 상태에서 기체 상태로 변하는 현상으로, 액체 표면에서 일어납니다.
- 물의 증발: 물 표면에서 액체인 물이 기체인 수증기로 상태가 변해 공기 중으로 흩어집니다.
〈생활 속 물의 증발의 예〉
  − 젖은 빨래가 마릅니다.
  − 컵에 든 물의 양이 점점 줄어듭니다.
  − 젖은 머리카락을 헤어드라이어로 말립니다.
  − 오징어, 고추 등의 음식 재료를 말립니다.
- 액체가 증발하기 위해서는 열이 필요합니다. 더운 날 마당에 물을 뿌리면 시원한 것은 물이 증발하면서 주변의 열을 흡수해 주변 온도가 내려가기 때문입니다.
- 증발은 기온이 높을수록, 습도(공기 중에 수증기가 들어 있는 정도)가 낮을수록, 바람이 강하게 불수록, 공기와 만나는 표면적이 넓을수록 잘 일어납니다.

4 아프리카의 건조한 지역은 식수가 부족하여 풀을 이용해 식수를 얻기도 합니다. 풀에 있는 수분을 기온이 높은 낮에 증발시켜 수증기로 상태가 변하고 다시 기온이 낮은 저녁에 비닐에 닿아 응결할 수 있도록 장치하여 식수를 얻습니다.

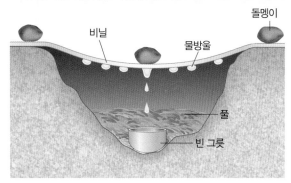

▲ 비닐의 가운데 돌을 올려놓아서 비닐에 맺힌 물방울이 가운데로 모인 뒤 그릇으로 떨어집니다.

채점 TIP 풀의 수분이 수증기로 증발하고, 다시 비닐에 닿아 응결하여 물이 생긴다는 내용을 쓰면 정답으로 합니다.

5 이글루는 그린란드, 캐나다, 알래스카 등 얼음으로 뒤덮인 지역에서 찾아볼 수 있는 집의 형태입니다. 추운 지역에 사는 이누이트족은 얼음과 물만 이용해 이글루를 지으며 이글

루에 물을 뿌려 난방을 합니다. 이누이트족이 이글루를 짓고 난방을 하는 원리는 물의 상태 변화로 설명할 수 있습니다. 먼저 잘 압축된 눈 덩어리들을 직육면체로 잘라 만든 눈 벽돌을 달팽이 모양으로 쌓아 올려 나선형의 벽을 만듭니다. 이글루의 모양이 완성되면 출입구를 막고 이글루 안에서 불을 피워 실내 온도를 높입니다. 그러면 따뜻한 열 때문에 안쪽 눈 벽돌이 녹아 물이 되어 둥근 돔의 벽을 타고 흘러내립니다. 어느 정도 얼음이 녹았을 때 출입구를 열어 차가운 공기가 통하게 하면 녹았던 물이 다시 얼어 단단해질 뿐만 아니라 눈 벽돌 사이로 스며든 물이 얼어붙어 접착제의 역할을 합니다. 이렇게 단단하게 만들어진 이글루 안은 밖의 기온이 영하 30 ℃라고 해도 5 ℃ 정도를 유지할 수 있습니다.

채점 TIP 이글루 안의 온도를 높이면 눈 벽돌이 녹아 물이 생기고, 출입문을 열어 이글루 안의 온도를 낮추면 물이 다시 얼어 눈 벽돌 사이를 채운다는 내용을 쓰면 정답으로 합니다.

---(내용 플러스)---

우리 생활에서 물의 상태 변화를 이용하는 경우
- 물이 얼음으로 변하는 상태 변화를 이용하는 경우

▲ 얼음과 얼음을 물로 붙여 얼음 작품을 만들 때 　▲ 스키장에서 인공 눈을 만들 때 　▲ 얼음과자를 만들 때

- 물이 수증기로 변하는 상태 변화를 이용하는 경우

▲ 수증기로 음식을 찔 때 　▲ 스팀다리미로 옷의 주름을 펼 때 　▲ 가습기를 이용할 때

6 물에 기포가 적게 포함되어 있어야 투명한 얼음을 얼릴 수 있으므로 물에 포함된 기포를 줄이는 방법을 찾으면 됩니다. 온도가 높을수록 물에 녹을 수 있는 공기의 양은 줄어듭니다. 그래서 물을 가열하면 물에 녹아 있던 공기가 더 이상 녹아 있지 못하고 빠져나가므로 끓인 물을 얼리면 투명한 얼음을 얼릴 수 있습니다. 물을 너무 낮은 온도에서 빠르게 얼리면 물에 녹아 있던 공기가 빠져나가지 못하고 얼어 얼음이 하얗고 불투명해지므로 적당히 낮은 온도에서 천천히 얼려 물속의 공기가 빠져나가면서 얼도록 합니다.

채점 TIP 물에 포함된 기포를 줄이는 방법을 쓰면 정답으로 합니다.

7 수평이 된 윗접시저울의 양쪽 저울접시에 물체를 올려놓았을 때 물체의 무게가 같으면 수평이 되고 무게가 다르면 무거운 물체 쪽으로 기울어집니다. 한쪽에만 물을 떨어뜨리면 물의 무게 때문에 물을 떨어뜨린 쪽으로 윗접시저울이 기울어집니다. 시간이 지나면 거름종이의 물이 증발하여 수증기로 상태가 변해 공기 중으로 모두 흩어지기 때문에 윗접시저울이 다시 수평이 됩니다.

채점 TIP 처음에는 물을 떨어뜨린 쪽으로 기울었다가 물이 모두 증발하면 다시 수평이 된다고 쓰면 정답으로 합니다.

─(**내용 플러스**)─

윗접시저울
윗접시저울은 수평 잡기의 원리를 이용한 저울입니다. 받침점에서 같은 거리에 물체를 올릴 수 있는 접시가 있고, 가운데에 저울대의 수평이 잡혔는지 확인하는 바늘이 있습니다.

▲ 윗접시저울

8 물을 얼리면 무게는 변하지 않지만 부피는 늘어납니다. 따라서 같은 부피의 물과 얼음의 무게를 비교하면 얼음이 물보다 가볍기 때문에 얼음이 물에 뜨게 됩니다. 겨울철에 강과 호수의 물이 얼게 되더라도 얼음이 물보다 가벼워 바닥으로 가라앉지 않고 물 위에 떠 있기 때문에 물고기가 살 수 있는 공간이 생기고 얼음이 찬 공기를 막아 주어 물고기가 물속에서 살 수 있는 것입니다. 만약 물과 얼음의 부피가 같을 때 얼음이 물보다 무겁다면 얼음이 가라앉아 바닥부터 얼기 때문에 강이나 호수 전체가 얼어붙어 물고기는 살 수 없게 될 것입니다.

채점 TIP 같은 부피의 물과 얼음 중 얼음이 더 가벼워 물 위에 뜨기 때문에 물고기가 살 수 있다고 쓰면 정답으로 합니다.

─(**내용 플러스**)─

물이 얼면 부피가 늘어나는 까닭
물을 이루는 입자의 배열이 변하기 때문입니다. 물이 얼면 물 입자들은 가운데가 빈 육각형 모양을 이루게 되기 때문에 액체 상태인 물보다 고체 상태인 얼음의 부피가 늘어나는 것입니다. 반대로 얼음이 녹으면 이 구조가 깨져서 자유로워진 물 입자가 육각형 구조의 빈 공간으로 들어갈 수 있게 되어 얼음일 때보다 부피가 줄어들게 됩니다.

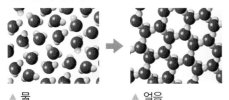

▲ 물   ▲ 얼음

● **가설 설정**
㉠ 얼음을 더 작게 부수면 더 빨리 녹을 것입니다.

● **탐구 과정**
㉠ ❶ 같은 양의 물이 들어 있는 생수병 3개를 모두 얼립니다.
❷ 생수병 하나는 그대로 두고, 다른 하나는 생수병을 벽에 다섯 번 부딪쳐 얼음을 부숩니다. 남은 하나는 벽에 열 번 부딪쳐 얼음을 더 잘게 부숩니다.
❸ 5분이 지난 후 뚜껑을 열고 3개의 생수병에서 얼음이 녹아서 생긴 물의 양을 측정합니다.

● **예상되는 탐구 결과**
㉠ 얼음 덩어리보다 조각 얼음이 더 빨리 녹기 때문에 생수병을 벽에 열 번 부딪친 얼음이 가장 빨리 녹을 것입니다.

─(**내용 플러스**)─

얼음을 빨리 녹이는 방법
• 얼음에 열을 가합니다. ➡ 얼음은 0 ℃ 이상에서 녹기 시작하기 때문입니다.
• 얼음을 잘게 쪼갭니다. ➡ 잘게 쪼갠 얼음은 표면적이 넓어서 열을 빨리 전달받기 때문입니다.

2권
2학기

3 그림자와 거울

1 ⓔ 코어 속으로 비스듬히 들어간 빛이 코어와 클래딩의 경계면에서 계속 반사되어 코어를 따라 먼 곳까지 전달될 수 있습니다.

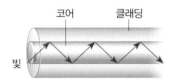

2 ⓔ 빛은 곧게 나아가는 성질이 있습니다. 따라서 직진하는 빛이 물체를 통과하지 못하면 물체의 모양과 비슷한 그림자가 물체의 뒤쪽에 생기게 되는데, 그림자의 모양은 물체가 놓인 모습과 광원의 방향에 따라 달라지기 때문에 이러한 성질을 이용해 예술 작품을 만들 수 있습니다.

3 ⓔ 인삼은 그늘에서 잘 자라는 식물이기 때문에 검은 차광막으로 햇빛을 가려 차광막의 그림자, 즉 그늘을 만들어 재배합니다.

4 ㉠, ⓔ 그림자는 빛이 곧게 나아가다가 물체에 막혀 빛이 도달하지 못하는 물체의 뒤쪽에 생기기 때문에 정물화에서 사과의 그림자를 보면 광원이 ㉠ 위치에 있다는 것을 알 수 있습니다.

5 ⓔ 곧게 나아가던 빛이 표면이 매끄러운 수면에서 반사되어 나르키소스의 눈에 들어왔기 때문입니다.

6 ⓔ ⑦ 거울로 물체를 비춰 보면 거울에서 빛이 반사되면서 물체의 좌우가 바뀌어 보입니다. 하지만 ④ 거울로 물체를 비춰 보면 마주 보는 거울이 서로 빛을 반사하기 때문에 왼쪽에서 온 빛을 오른쪽으로, 오른쪽에서 온 빛을 왼쪽으로 보내 우리는 좌우가 바뀌지 않은 물체의 모습을 볼 수 있습니다.

7 최소 6개의 거울이 필요합니다.

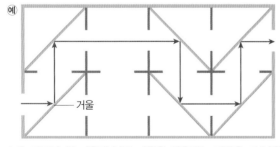

8 ⓔ 자동차 옆 거울에 볼록 거울을 사용하는 까닭은 더 넓은 범위를 볼 수 있기 때문입니다. 실제보다 작게 보이더라도 시야가 넓어져 운전자에게 보이지 않는 사각지대를 최소화할 수 있습니다.

1 광섬유는 투명한 유리를 매우 가늘게 뽑아 만든 소재입니다. 광섬유의 코어 속으로 빛을 보내면 코어와 클래딩의 경계면에서 반사되면서 빛이 코어를 따라 먼 곳까지 전달됩니다. 광섬유는 빛의 진행 경로를 바꿀 수 있으며, 빛을 멀리까지 보낼 수 있어 의료용 내시경이나 장식품 등에 다양하게 이용됩니다.

채점 TIP 빛이 계속 반사되어 코어를 따라 전달된다는 내용을 쓰면 정답으로 합니다.

┌─(**내용** 플러스)
빛의 반사
- 곧게 나아가던 빛이 거울 면에 부딪칠 때 진행 방향이 바뀌어 나아가는 현상을 빛의 반사라고 합니다.
- 곧게 나아가던 빛이 거울 면에 부딪쳐 반사가 일어날 때는 일정한 규칙을 따르는데, 입사각과 반사각은 항상 같으며 이때 입사 광선과 반사 광선, 법선은 같은 평면 상에 있습니다. 이것을 빛의 반사 법칙이라고 합니다.

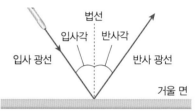

- 거울은 빛의 반사를 이용해 물체의 모습을 비추는 도구로, 거울을 사용하면 빛이 반사되는 모습을 관찰할 수 있습니다.

▲ 손전등의 빛을 거울에 비췄을 때 빛이 나아가는 모습

2 태양, 전등과 같이 스스로 빛을 내는 것을 광원이라고 합니다. 광원에서 나온 빛은 곧게 나아가는데, 이렇게 빛이 곧게 나아가는 성질을 빛의 직진이라고 합니다. 직진하는 빛이 물체를 통과하지 못하면 물체 모양과 비슷한 그림자가 물체의 뒤쪽에 생기며, 이때 물체가 놓인 모습이나 광원의 방향에 따라 그림자의 모양이 달라집니다. 따라서 물체를 빛이 지나가는 길에 다양하게 배치하면 물체의 그림자의 모양을 원하는 대로 표현할 수 있습니다.

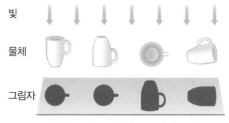

▲ 컵이 놓인 모습에 따른 그림자 모양

채점 TIP 빛은 직진하며 물체가 놓인 모습이나 광원의 방향에 따라 그림자의 모양이 달라진다는 내용을 쓰면 정답으로 합니다.

(**내용 플러스**)

그림자

• 곧게 나아가던 빛이 물체를 통과하지 못하면 물체 뒤쪽에 빛이 닿지 않아 어두운 부분이 생기는데, 이 부분을 그림자라고 합니다.

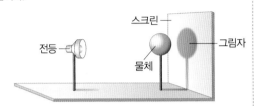

• 빛이 물체를 통과하는 정도에 따라 그림자의 진하기가 다릅니다. 곧게 나아가던 빛이 불투명한 물체를 만나면 빛이 물체를 통과하지 못해 진하고 선명한 그림자가 생기고 투명한 물체를 만나면 빛이 물체를 대부분 통과해 연하고 흐릿한 그림자가 생깁니다.

• 그림자는 크기를 변화시킬 수 있습니다. 물체와 스크린을 그대로 두었을 때 광원을 물체에 가깝게 하면 그림자의 크기는 커지고 광원을 물체에서 멀게 하면 그림자의 크기는 작아집니다. 또 광원과 스크린을 그대로 두었을 때 물체를 광원에 가깝게 하면 그림자의 크기는 커지고 물체를 광원에서 멀게 하면 그림자의 크기는 작아집니다.

• 광원을 여러 개 사용하면 하나의 물체에 여러 개의 그림자를 동시에 나타나게 할 수 있습니다. 광원을 2개 사용하면 그림자도 2개가 생기며, 광원을 3개 사용하면 그림자가 3개 생깁니다.

3 인삼은 그늘에서 잘 자라는 음지 식물입니다. 인삼을 재배하기 위해서는 검은 차광막으로 햇빛을 가려 인공적으로 그늘을 만들어 주어야 합니다.

채점 TIP 인삼은 그늘에서 잘 자라는 식물이기 때문에 차광막으로 햇빛을 가려 그림자(그늘)를 만든다는 내용을 쓰면 정답으로 합니다.

(**내용 플러스**)

물체의 그림자를 이용해 생활을 편리하게 하는 것

• 색안경: 햇빛으로부터 눈을 보호해 줍니다.
• 자동차의 햇빛 가리개: 햇빛으로 차 안이 더워지는 걸 막아 줍니다.
• 모자, 양산: 햇빛에 얼굴이 검게 그을리는 것을 막아 줍니다.
• 암막: 빛을 막아 실험을 하거나 낮에 영화를 볼 때 도움을 줍니다.

▲ 색안경 　　▲ 자동차의 햇빛 　▲ 암막
　　　　　　　　가리개

4 그림에서 사과의 그림자 위치를 보면 광원의 위치를 알 수 있습니다. 사과에 빛을 비추었을 때 사과에 막혀 빛이 도달하지 못하는 곳에 그림자가 생기기 때문에 그림자의 반대쪽에 광원이 있습니다.

채점 TIP ㉠을 고르고, 광원과 그림자가 생기는 위치의 관계를 옳게 쓰면 정답으로 합니다.

(**내용 플러스**)

광원의 위치

그림자의 끝과 물체의 끝을 이어서 연장하면 광원의 위치를 알 수 있습니다. 이것은 빛이 곧게 나아가는 성질이 있기 때문입니다.

5 곧게 나아가던 빛이 물체에 부딪치면 물체 표면에서 반사되고, 물체에서 반사된 빛이 눈에 들어오면 그 물체를 볼 수 있습니다. 나르키소스가 샘물에 비친 자신의 얼굴을 볼 수 있었던 것은 빛이 샘물 표면에서 일정한 방향으로 반사되어 눈에 들어왔기 때문입니다.

채점 TIP 곧게 나아가던 빛이 수면에서 반사되어 나르키소스의 눈으로 들어왔기 때문이라고 쓰면 정답으로 합니다.

(**내용 플러스**)

정반사와 난반사

• 정반사: 매끄러운 표면에 들어온 빛이 일정한 방향으로 반사되는 것을 정반사라고 합니다. 표면이 매끄러운 거울이나 잔잔한 수면에 주변의 모습이 잘 비치는 것은 정반사가 일어나기 때문입니다. 정반사가 일어나면 한쪽 방향에서만 물체를 볼 수 있습니다.

▲ 정반사 　　　　▲ 잔잔한 수면

• 난반사: 매끄럽지 않은 표면에 들어온 빛이 여러 방향으로 흩어져 반사되는 것을 난반사라고 합니다. 여러 방향에서 물체를 볼 수 있는 것은 물체 표면에서 난반사가 일어나기 때문입니다. 난반사가 일어나는 물체 표면에는 주변의 모습이 잘 비치지 않습니다.

▲ 난반사 　　　　▲ 출렁이는 수면

6 거울에 얼굴을 비춰 보면 거울에서 빛이 반사되어 좌우가 바뀌어 보이기 때문에 다른 사람이 보는 내 얼굴과는 다르게 보일 수 있습니다. 그래서 중요한 면접이나 촬영을 위해 화장을 할 때 무반전 거울을 사용합니다. 무반전 거울은 거울 두 개를 90°로 붙여 만든 거울로, 일반 거울과는 다르게 좌우 반전 없이 물체를 볼 수 있도록 만든 거울입니다.

채점 TIP (개) 거울은 좌우가 바뀌어 보이고, (내) 거울은 좌우가 바뀌지 않고 그대로 물체의 모습이 보이는 것을 빛의 반사와 관련지어 옳게 쓰면 정답으로 합니다.

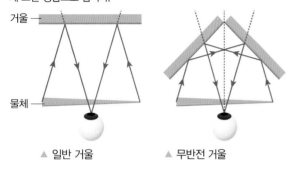

▲ 일반 거울   ▲ 무반전 거울

---(**내용 플러스**)---

거울에 비친 모습이 좌우가 바뀌어 보이는 까닭

거울에 물체를 비춰 보면 상하는 바뀌어 보이지 않지만 좌우는 바뀌어 보입니다. 이러한 현상이 나타나는 까닭은 빛이 반사하는 성질 때문입니다.

물체의 한 점으로 들어온 빛은 여러 방향으로 반사되어 사방으로 퍼지며, 이 빛 중 일부가 거울로 들어가고, 거울 면에서 반사됩니다. 이때 거울에서 반사되어 나온 빛을 거울 뒤쪽으로 이으면 한 점에서 만나는데, 마치 이 점으로부터 빛이 나오는 것처럼 느끼게 되어 거울 속에 물체가 있는 것처럼 보입니다. 즉 거울에 비친 물체의 모습은 거울이 만든 물체의 상입니다.

7 문제를 해결하는 방법은 거울을 3개 이상 사용해야 하므로 빛의 경로를 그리면서 거울 개수를 늘려가는 것입니다. 거울을 대각선으로 배치하면 빛은 들어가는 각도와 반사되어 나가는 각도가 같으므로 90°로 꺾여서 진행하게 됩니다. 이러한 특징을 감안하면 최소 6개의 거울을 배치하여야 빛이 출구로 나갈 수 있습니다. 거울 6개를 배치하여 빛이 출구로 나가는 방법은 다양합니다. 그중 한 가지를 바르게 그렸으면 정답으로 합니다.

채점 TIP 6개의 거울이 필요하다고 쓰고, 거울의 위치와 빛이 지나가는 길을 옳게 그렸으면 정답으로 합니다.

8 볼록 거울은 나란하게 입사한 빛이 거울 면에서 넓게 퍼지게 반사시키는 특징을 지니기 때문에 거울에 보이는 물체는 작아지지만 자동차 옆 거울이나 도로 반사경과 같이 주로 넓은 범위를 볼 때 사용합니다.

▲ 볼록 거울에서의 빛의 반사

채점 TIP 넓은 범위를 볼 수 있기 때문이라고 쓰면 정답으로 합니다.

과학 탐구 대회 **실전** **발명품**   63쪽

● **발명품 도안**

(예)

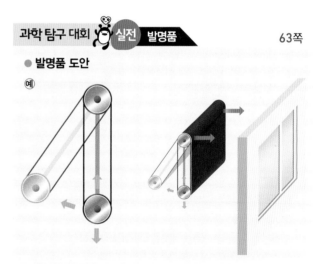

● **발명품 이름** (예) 햇빛도 가리고 풍경도 즐기는 일석이조 블라인드

● **발명품 소개**

(예) 이 블라인드는 창문 바깥쪽에 설치하여 바깥을 보고 싶으면 블라인드의 각도를 올려 햇빛이 들어오는 것을 차단하는 동시에 블라인드 아래쪽으로 바깥 풍경도 볼 수 있는 발명품입니다. 대부분의 블라인드는 위아래로만 움직이지만 이 블라인드는 위아래로 움직일 수도 있고, 전체 블라인드의 각도를 조절할 수 있어서 편리합니다.

4 화산과 지진

1 예 화산 활동이 일어날 때 발생하는 화산 분출물을 조사하는 방법이 있습니다. 화산이 분출할 때 지구 내부의 물질들이 지표로 올라오기 때문에 이러한 화산 분출물을 조사하면 지구 내부의 물질을 연구할 수 있습니다.

2 ⓒ, 예 현무암은 마그마가 지표 가까이에서 식어서 만들어져 알갱이의 크기가 작고, 어두운색을 띠는 광물로 이루어져 있어 암석의 색깔이 어둡습니다.

3 (가), 예 화강암은 마그마가 땅속 깊은 곳에서 천천히 식어 만들어져 알갱이의 크기가 큽니다. 더운물에서 천천히 식은 스테아르산은 알갱이의 크기가 크기 때문에 화강암의 생성 과정을 나타낸 실험은 (가)입니다.

4 예 화산이 분출하면서 많은 양의 화산재가 배출되어 태양빛을 가려 지구의 평균 기온이 일시적으로 낮아진 것입니다.

5 예 규모는 (가) 관측소와 (나) 관측소에서 측정한 값이 같습니다. 진도는 (가) 관측소에서 측정한 값이 (나) 관측소에서 측정한 값보다 큽니다.

6 예 지진이 발생하면 땅이 수평 방향으로 흔들리기도 하며, 수직 방향으로 흔들리기도 하기 때문에 수평 방향의 진동을 기록하는 지진계와 수직 방향의 진동을 기록하는 지진계가 있습니다.

7 예 바닥을 깊이 파고 그 안에 자갈과 모래를 채워 외부의 충격을 흡수할 수 있으며, 엇갈리게 쌓아 올린 돌을 서로 고정하지 않아 지진의 흔들림에도 유동적으로 움직일 수 있어 무너지지 않았습니다.

8 예 해저 지진에 의해 큰 파도가 일어나 육지까지 바닷물이 넘쳐 들어오기 때문에 해안가에 있을 경우 높은 지역이나 해안에서 먼 곳으로 신속하게 대피해야 합니다.

1 지구 내부를 직접적으로 탐사하는 방법에는 직접 땅을 뚫어 조사하는 시추법, 화산에서 나오는 지구 내부의 물질을 관찰하는 화산 분출물 조사가 있습니다. 간접적으로 탐사하는 방법에는 지진파 분석, 운석 조사 등이 있습니다.

▲ 시추법

▲ 화산 분출물 조사

추　회전 펜　원통
▲ 지진파 분석

채점 TIP 화산 활동으로 인해 발생하는 화산 분출물을 조사하여 지구 내부 물질을 연구한다고 쓰면 정답으로 합니다.

내용 플러스

지구 내부 물질을 조사하는 방법

〈직접적인 방법〉

• **시추**: 땅에 직접 구멍을 뚫고 땅속에 있는 물질을 채취하여 지구 내부 물질을 조사하는 방법입니다. 지구 내부를 조사하는 가장 확실한 방법이지만 지구 내부로 갈수록 온도와 압력이 증가하므로 뚫는 깊이에 한계가 있습니다.

• **화산 분출물 조사**: 화산이 폭발할 때 나오는 화산 분출물은 지구 내부의 암석이 녹은 것이므로, 화산 분출물을 조사하여 지구 내부가 어떤 물질로 되어 있는지 알 수 있습니다. 그러나 지하 100여 km까지에 해당하는 지구 겉 부분만 조사할 수 있습니다.

〈간접적인 방법〉

• **지진파 분석**: 지진이 발생할 때 전달되는 지진파의 모습을 분석하는 방법으로, 지구 내부의 층상 구조를 알아내는 가장 효과적인 방법입니다. 지진파는 통과하는 물질에 따라 속도가 달라지거나 꺾이는 성질이 있기 때문에 지진파를 분석하면 마치 X선처럼 지구 내부 구조를 알 수 있습니다.

• **운석 연구**: 운석은 태양계 생성 초기에 만들어진 물질이기 때문에 지구 생성 초기의 물질과 지구 내부를 구성하는 물질에 대한 정보를 얻는 데 이용됩니다.

• **광물 합성 실험(고온·고압 실험)**: 실험실에서 지구 내부와 비슷한 고온·고압의 조건을 만들어 광물을 합성하는 실험으로, 지구 내부 물질의 종류와 상태를 알아낼 수 있습니다.

---

2 화성암은 마그마가 식어서 굳는 속도에 따라 알갱이의 크기가 달라지며, 마그마가 식어서 굳는 속도는 화성암이 생성된 위치에 따라 달라집니다. 현무암은 마그마가 지표 가까이에서 빠르게 식어서 굳은 암석으로, 암석을 이루는 알갱이의 크기가 작고, 어두운색을 띠는 광물로 이루어져 있어 암석의 색깔이 어둡기 때문에 그래프에서 ⓒ의 위치에 해당합니다. 화성암 중 화강암, 유문암, 반려암을 그래프에 따라 분류할 때, ㉠의 위치에 해당하는 화성암은 암석을 이루는 알갱이의 크기가 크고 암석의 색깔이 어두우므로 반려암이고, ㉡의 위치에 해당하는 화성암은 암석을 이루는 알갱이의 크기가 크고 암석의 색깔이 밝으므로 화강암이며, ㉣의 위치에 해당하는 화성암은 암석을 이루는 알갱이의 크기가 작고 암석의 색깔이 밝으므로 유문암입니다.

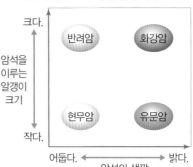

채점 TIP ⓒ을 쓰고, 현무암은 알갱이의 크기가 작고, 암석의 색깔이 어둡기 때문이라는 내용을 쓰면 정답으로 합니다.

화성암

- 화성암은 마그마의 활동으로 만들어진 암석으로, 마그마가 식는 위치에 따라 화산암과 심성암으로 분류됩니다.
- 화산암은 마그마가 지표 가까이에서 빠르게 식어 굳어진 암석으로, 알갱이가 자라는 시간이 짧아 암석을 이루는 알갱이의 크기가 작습니다.

▲ 현무암

▲ 유문암

- 심성암은 마그마가 땅속 깊은 곳에서 천천히 식어 굳어진 암석으로, 알갱이가 자라는 시간이 충분하여 암석을 이루는 알갱이의 크기가 큽니다.

▲ 화강암

▲ 반려암

- 암석의 색깔은 어두운색 광물(휘석, 각섬석, 흑운모)을 많이 포함할수록 어둡고, 밝은색 광물(장석, 석영)을 많이 포함할수록 밝습니다.

3 화강암은 마그마가 땅속 깊은 곳에서 천천히 식어 만들어지므로 알갱이가 자라는 시간이 충분하여 알갱이의 크기가 큽니다. 더운물에서 천천히 식은 스테아르산은 알갱이의 크기가 크기 때문에 화강암의 생성 과정을 나타낸 실험은 (가)입니다. 현무암은 마그마가 지표 가까이에서 빠르게 식어 만들어지므로 알갱이가 자라는 시간이 짧아 알갱이의 크기가 작습니다. 얼음물에서 빠르게 식은 스테아르산은 알갱이의 크기가 작기 때문에 실험 (나)는 현무암의 생성 과정을 나타낸 실험입니다.

▲ 더운물에서 식은 스테아르산 알갱이

▲ 얼음물에서 식은 스테아르산 알갱이

채점 TIP (가)를 쓰고, 더운물에서 천천히 식어 스테아르산 알갱이의 크기가 큰 (가) 실험이 마그마가 땅속 깊은 곳에서 서서히 식어 알갱이의 크기가 큰 화강암에 해당한다고 쓰면 정답으로 합니다.

4 화산 폭발 시 분출하는 화산재나 화산 가스가 대기 중에 퍼져 태양 빛을 가리면 화산이 폭발한 지역을 중심으로 그 주변 지역의 기온이 일시적으로 낮아지게 되면서 지구의 평균 기온도 일시적으로 낮아지는 것입니다.

채점 TIP 화산재가 태양 빛을 가려 지구의 평균 기온이 낮아진 것이라고 쓰면 답으로 합니다.

화산재가 우리 생활에 주는 영향

▲ 화산재

- 화산재와 화산 가스의 영향으로 호흡기 질병 및 날씨의 변화가 나타나기도 합니다.
- 화산재가 하늘로 올라가 항공기 운항에 영향을 주고, 비행기 엔진을 망가뜨려 항공기 운항을 어렵게 합니다.
- 화산재가 농경지를 덮습니다.
- 화산재는 물을 오염시키기도 하고, 물과 함께 마을을 덮치기도 합니다.
- 화산재가 태양 빛을 차단해 동식물에게 피해를 줍니다.
- 화산재가 땅을 기름지게 하여 농작물이 자라는 데 도움을 주기도 합니다.

5 지진이 발생했을 때 규모는 관측 지역에 관계없이 같은 값을 나타내기 때문에 (가) 관측소와 (나) 관측소에서 측정한 값이 같습니다. 하지만 진도는 사람이 느낀 지진의 흔들림 정도, 땅이나 건물의 진동 및 피해 정도를 나타낸 것이기 때문에 일반적으로 지진이 발생한 지점에서 가까울수록 진도가 크며, 멀리 있는 지역은 흔들림이 적으므로 진도가 작습니다. 따라서 (가) 관측소에서 측정한 값이 (나) 관측소에서 측정한 값보다 큽니다.

채점 TIP 규모는 (가) 관측소와 (나) 관측소에서 측정한 값이 같고, 진도는 (가) 관측소에서 측정한 값이 (나) 관측소에서 측정한 값보다 크다고 쓰면 정답으로 합니다.

규모와 진도에 따른 영향

규모	진도	영향
1.0~2.9	I	극소수의 민감한 사람만이 느낍니다.
3.0~3.9	II	건물 위에 있는 소수의 사람만이 느낍니다.
	III	정지하고 있는 차가 약간 흔들립니다.
4.0~4.9	IV	그릇, 창문 등이 흔들립니다.
	V	그릇과 창문이 깨지기도 합니다.
5.0~5.9	VI	건물 벽에 균열이 생기기도 합니다.
	VII	모든 사람들이 놀라서 뛰쳐나옵니다.
6.0~6.9	VIII	특수 설계된 건축물에 약간의 피해가 발생하고, 심한 공포를 느낍니다.
	IX	지하 송수관이 파손되며, 도움 없이는 걸을 수 없습니다.
7.0 이상	X	대부분의 건축물이 기초와 함께 부서집니다.
	XI	남아 있는 건축물이 거의 없으며 지표면에 균열이 생깁니다.
	XII	전면적인 파괴 상황, 지표면에 파동이 보입니다.

※자료 출처: 대전광역시 소방본부 https://www.dj119/index.do

6 지진의 진동은 한 방향으로만 일어나지 않고 수평 방향과 수직 방향 모두 일어납니다. 지진계는 기록하는 진동의 방향에 따라 수평동 지진계와 수직동 지진계로 구분합니다.

지진 관측소에서는 지진을 입체적으로 파악하기 위해 수평동 지진계와 수직동 지진계를 함께 설치하고 있습니다.

채점 TIP 지진의 수평 방향과 수직 방향의 진동을 모두 기록하기 위해서라고 쓰면 정답으로 합니다.

---(**내용 플러스**)---

지진계
- 지진이 일어나면 지각으로부터 에너지가 방출되기 때문에 땅이 위아래, 좌우로 흔들립니다. 지진계는 이러한 땅의 흔들림을 기록하는 장치입니다.
- 지진으로 땅이 흔들릴 때, 정지한 채 움직이지 않는 추를 기준으로 하여 지진계로 땅의 흔들림을 기록합니다. 수직동 지진계는 지진이 발생해도 위아래로 움직이지 않는 추에 달린 펜이 진동을 기록하고, 수평동 지진계는 좌우로 움직이지 않는 추에 달린 펜이 진동을 기록합니다.

---

7 첨성대는 규모 5.8의 강진에도 북쪽으로 2 cm 정도 기울고 모서리 부분이 약간 벌어진 것 외에 큰 피해를 입지 않았습니다. 까닭은 바닥을 깊이 파고 그 안에 자갈과 모래를 다져 넣어 단단한 땅보다 알갱이 형태의 땅이 흔들림을 최소화할 수 있기 때문입니다. 또한 무게 중심이 아래에 있어 안정적인 구조입니다. 각각의 돌을 고정하지 않고 곡선으로 쌓아 올린 형태도 흔들림에 유동적으로 움직일 수 있어 지진을 견딜 수 있습니다.

채점 TIP 첨성대의 구조가 지진의 충격을 흡수하고, 흔들림에 잘 견디도록 만들어졌기 때문이라고 쓰면 정답으로 합니다.

8 지진 해일은 해저 지진이나 해저 화산 폭발 등으로 해수면의 높이가 급격하게 변할 때 발생하고, 쓰나미라고도 합니다. 지진 해일은 주기적으로 일어나는 현상이 아니므로 예측하기 매우 어렵지만, 예보 또는 경보를 내려 피해를 최소화할 수 있습니다.

채점 TIP 높은 지역이나 해안에서 먼 곳으로 대피한다고 쓰면 정답으로 합니다.

---(**내용 플러스**)---

지진 해일(쓰나미)이 발생했을 때의 대처 방법
- 내가 있는 지역이 지진 해일의 위험이 있는 지역인지 미리 확인합니다.
- 바닷가나 낮은 지역에 있다면 신속하게 높은 곳으로 대피합니다.
- 지진 해일은 한 번의 큰 파도로 끝나지 않고 여러 번 반복될 수 있으므로, 높은 지대에 계속 머무르면서 휴대 전화 등으로 현재 상황을 계속 파악하고, 지진 해일 특보가 해제되고 안전하다고 방송이 나오기 전까지는 대피해 있습니다.
- 지진 해일이 발생했을 때 바다에 나가 있던 배들은 지진 해일 경보가 해제될 때까지 먼 바다로 대피해 있습니다. 항구에 있는 배는 시간적 여유가 있다면 물이 깊은 지역으로 이동시킵니다.
- 지진 해일은 물이 빠지는 것으로 시작될 수 있으니 해안 부근에 거주하는 사람들은 현상을 잘 이해하고 있어야 합니다.

● **주장 및 근거**

예 1. 쓰나미 사이렌 부표 설치

▲ 쓰나미 사이렌 부표

물이 바다 쪽으로 급격히 빠져나갈 때 그 신호를 확인하고, 신속하게 경고음을 내는 부표를 설치합니다. 부표에는 신호를 행정안전부에 전달하고, 큰 사이렌 소리를 내어 해변에서 대피할 수 있도록 합니다.

2. 해안가 지역 쓰나미 교육

영국 소녀와 같이 쓰나미의 위험성과 쓰나미가 발생했을 때 안전하게 대피하는 방법 등을 알 수 있도록 교육합니다. 또 쓰나미 전조 현상과 그 이후 대처 방법을 지역 주민에게 주기적으로 교육하고, 학생들에게 안전 대피 훈련을 한다면 피해를 최소화할 수 있을 것입니다.

● **상대의 예상 질문**

예 쓰나미 사이렌 부표는 바다에 떠다니는 것이므로 해안에서 멀리 떨어질 수도 있고, 그물이나 선박에 의해 파손이 될 가능성이 높은데 해결할 방법이 있나요?

● **예상 질문에 대한 대답**

예 해양수산부에서 주기적으로 관리하고, 부표에 신호를 달아서 어디에 있는지 선박에도 신호를 주는 방법으로 해결할 수 있을 것입니다.

쓰나미에 대한 자료를 읽고 연계하여 답안을 작성하여야 합니다. 현재 시행 중인 것은 작성하지 않으며, 장치를 설치한다면 장치의 그림을 그리고, 법령이나 교육 등에 대해서는 구체적으로 작성할 수 있도록 합니다.

2권
2학기

5 물의 여행

1 예 따뜻한 공기가 차가운 수면 위의 차가운 공기를 만나 수증기가 응결하기 때문입니다.

2 예 강물은 흘러가면서 흙을 깎기도 하고 쌓기도 하면서 다양한 지형을 만들고, 바닷물에 의해 바위가 깎이면서 구멍이 뚫린 바위를 만듭니다.

3 예 지구 온난화가 심해져 지구의 평균 기온이 높아지면 극지방의 빙하가 녹아 바다로 흘러들면서 해수면이 상승합니다.

4 예 비를 모두 모아 부피를 측정할 수 없어서 지표면 위에 내린 비가 고였을 때의 깊이를 측정하기 때문에 길이의 단위를 사용합니다.

5 예 지하수는 호수의 물이나 하천수에 비해 양이 많고, 간단한 정수 과정을 거치면 바로 사용할 수 있으며, 빗물에 의해 지속적으로 채워지는 장점이 있습니다. 하지만 지하수는 땅속으로 스며들어 흐르기 때문에 한번 오염되면 다시 정화시키기 어려우며, 무분별한 개발로 인해 땅이 무너질 위험이 있습니다.

6 예 푸른색 염화 코발트 종이가 붉은색으로 변합니다. 그 까닭은 비커 안의 물이 끓어 수증기로 상태가 변하고, 그 수증기가 차가운 접시에 닿아 응결하여 물방울로 맺혔기 때문입니다.

7 예 우주에서는 물을 구할 수 없기 때문에 지구에서 운반해가져가야 합니다. 그래서 우주에서 오래 생활해야 하는 우주 비행사들은 최대한 물을 아껴 쓰고, 이미 이용한 물도 정수하여 다시 이용하는 것입니다.

8 예 플라스틱 컵 안의 얼음이 녹아 물이 되고, 물의 일부는 증발하여 수증기가 됩니다. 플라스틱 컵 안의 수증기는 플라스틱 컵 표면에 닿아 응결하여 물방울로 맺히고, 아래로 떨어집니다. 식물에게 필요한 물이 밖으로 빠져나가지 않고 플라스틱 컵 안을 순환하기 때문에 물을 주지 않아도 식물이 살 수 있습니다.

1 따뜻한 공기가 차가운 공기를 만나면 수증기가 응결해 작은 물방울로 상태가 변해 공기 중에 떠 있게 되는데, 이것이 안개입니다. 해무는 바다 위에 끼는 안개로, 따뜻한 공기가 차가운 해수면 위로 이동할 때 수증기가 응결하여 발생합니다.

> **채점 TIP** 따뜻한 공기가 차가운 수면 위의 차가운 공기를 만나 수증기가 응결하기 때문이라고 쓰면 정답으로 합니다.

> **(내용 플러스)**
> 안개와 구름은 따뜻한 공기가 차가운 공기를 만나 수증기가 응결해 작은 물방울 상태로 공기 중에 떠 있는 것입니다. 지표에서 가까운 곳에 생긴 것이 안개, 높은 하늘에 생긴 것이 구름입니다.

2 흐르는 물은 바위나 돌, 흙 등을 깎아 낮은 곳으로 운반하여 쌓으며 지표의 모습을 변화시킵니다. 바닷물은 바위에 구멍을 뚫거나 가파른 절벽을 만들기도 하고, 모래나 고운 흙을 쌓아 모래 해변이나 갯벌을 만들기도 합니다.

> **채점 TIP** 흐르는 강물과 바닷물에 의해 다양한 지형이 만들어진다고 쓰면 정답으로 합니다.

> **(내용 플러스)**
> **흐르는 물이 만드는 지형**
> • V자 계곡: 흐르는 물에 의해 만들어지는 'V' 자 모양의 계곡입니다.
> • 선상지: 강의 상류에서 운반되어 온 자갈이나 모래가 쌓여 만들어지는 부채꼴 모양의 땅입니다.
> • 곡류: 경사가 완만한 평지를 흐르는 구불구불한 강입니다.
> • 우각호: 곡류가 막혀 만들어진 쇠뿔 모양의 호수입니다.
> • 삼각주: 강물이 바다나 호수로 흘러들어갈 때 퇴적물이 많이 쌓여 만들어진 삼각형 모양의 지형입니다.
>
>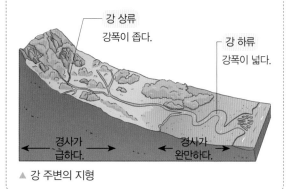
> ▲ 강 주변의 지형

3 지구 온난화로 인해 지구의 평균 기온이 높아지면 극지방에 있는 빙하가 녹아 물이 되어 바다로 흘러들면서 해수면이 상승하게 됩니다. 해수면이 상승하면 해안가의 낮은 지대가 물에 잠겨 육지의 면적은 감소하게 됩니다.

> **채점 TIP** 극지방의 빙하가 녹아 바다로 흘러들면서 해수면이 상승한다고 쓰면 정답으로 합니다.

> **(내용 플러스)**
> **지구 온난화의 영향**
> • 지구의 평균 기온이 높아져 극지방의 빙하가 녹아 해수면이 높아지고 있습니다.
> • 건조 기후 지역이 늘어나고 온대 기후 지역이 점차 아열대 지역으로 변해 가며, 툰드라 기후 지역이 줄어들고 있습니다.
> • 가뭄, 홍수, 태풍 등의 자연 재해 발생 횟수가 증가하고 있습니다.
> • 기후 변화로 인해 서식지가 사라지거나 먹이가 없어짐에 따라 일부 동식물이 멸종했습니다.

4 강수량은 지표면 위에 떨어져서 고인 물의 깊이를 재는 것입니다. 전 지역에 내린 비를 모두 모아 부피를 측정하는 것은 불가능하기 때문입니다.

> **채점 TIP** 비의 전체 부피를 측정하는 것이 불가능하기 때문에 땅에 내린 비가 고였을 때의 깊이를 측정한다고 쓰면 정답으로 합니다.

5 지하수는 담수 중 두 번째로 많은 양을 차지하며, 호수의 물이나 하천수에 비해 양이 많습니다. 간단한 정수 과정을 거치면 바로 사용할 수 있으며, 빗물이 지층의 빈틈으로 스며들어 채워지기 때문에 지속적으로 활용할 수 있습니다. 하지만 무분별한 개발로 지반 침하, 지하수 고갈, 오염이 발생하지 않도록 주의해야 합니다.

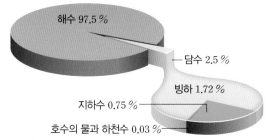

해수 97.5 %
담수 2.5 %
빙하 1.72 %
지하수 0.75 %
호수의 물과 하천수 0.03 %

채점 TIP 지하수를 개발하는 것의 장점과 단점을 한 가지씩 모두 옳게 쓰면 정답으로 합니다.

6 푸른색 염화 코발트 종이는 물과 만나면 붉은색으로 변하는 성질이 있으므로 물을 확인하는 데 사용합니다. 비커 안의 물을 가열하면 물이 끓어 액체인 물이 기체인 수증기로 상태가 변합니다. 그 수증기가 차가운 접시 표면에 닿아 응결하여 물방울로 맺히기 때문에 푸른색 염화 코발트 종이를 대면 붉은색으로 변하는 것입니다.

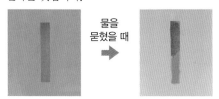

물을 묻혔을 때

▲ 푸른색 염화 코발트 종이의 색깔 변화

채점 TIP 푸른색 염화 코발트 종이가 붉은색으로 변한다는 것과 물을 가열하면 액체인 물이 기체인 수증기로 상태가 변하고, 그 수증기가 응결하여 물방울로 맺혔기 때문이라고 까닭을 쓰면 정답으로 합니다.

7 우주 비행사들은 물이 필요 없는 샴푸로 머리를 감고, 샤워기 대신 스펀지에 물을 적셔 몸을 닦습니다. 이미 이용한 물은 국제 우주 정거장에 있는 정수 장치를 통해 대부분 다시 이용합니다. 이때 우주 비행사들이 이용한 물, 땀과 입김, 심지어 오줌까지 정수합니다. 이렇게 물을 구할 수 없는 우주에서는 물을 다시 이용하는 것이 매우 중요합니다.

채점 TIP 우주는 물을 구할 수 없기 때문에 물을 아껴 써야 한다고 쓰면 정답으로 합니다.

8 플라스틱 컵 안에서 얼음은 녹아 물이 되고, 물은 증발하여 수증기가 됩니다. 이 수증기는 다시 물로 응결하여 아래로 떨어집니다. 이렇게 플라스틱 컵 안에서 물은 상태가 변하면서 계속 순환합니다.

채점 TIP 얼음이 녹아 물이 되고, 물이 증발하여 수증기가 되었다가 다시 물로 응결하여 아래로 떨어지므로 식물에 물을 주지 않아도 식물이 살 수 있다고 쓰면 정답으로 합니다.

(내용 플러스)

물의 순환

땅에 내린 빗물은 호수와 강, 바다, 땅속에 머물다가 공기 중으로 증발하거나 식물의 뿌리로 흡수되었다가 잎에서 수증기가 됩니다. 공기 중의 수증기가 하늘 높이 올라가 응결하면 구름이 되고 비나 눈이 되어 바다나 육지로 내립니다. 땅에 내린 비나 눈은 땅속으로 스며들거나 강으로 흘러들어 바다로 흘러갑니다.

수증기가 응결하면 구름이 된다.
비나 눈이 되어 땅으로 내려간다.
물이 강으로 모여서 흘러간다.
물이 증발해서 수증기가 된다.
식물의 잎에서 수증기가 나온다.
물이 땅속으로 스며들어간다.
땅속에는 지하수가 흐른다.
뿌리가 땅속의 물을 빨아들인다.

과학 탐구 대회 실전 탐구 보고서 79쪽

2권 2학기

● **같게 해 주어야 할 조건**

㉠ 토양의 양, 뿌리는 물의 양, 물을 뿌리고 난 다음 기다리는 시간, 종이컵의 크기 등 토양의 종류 외 조건은 모두 같게 합니다.

● **탐구 과정**

㉠ ❶ 종이컵의 아랫부분을 자르고 거름종이를 설치합니다.
❷ 종이컵 안에 10 cm 깊이로 토양A를 넣습니다.
❸ 토양이 들어 있는 종이컵을 스탠드에 설치합니다.
❹ 종이컵 아래쪽에 비커를 놓습니다.
❺ 물뿌리개에 30 mL의 물을 넣은 뒤 토양에 뿌립니다.
❻ 5분이 지난 후 눈금실린더로 비커에 모인 물의 양을 측정합니다.
❼ 다른 토양 B, C도 ❷~❻의 과정으로 실험을 진행합니다.

물
토양이 들어 있는 종이컵
거름종이
고무줄
스탠드
비커

Where there is a will,
there is a way.